イタリア世界遺産の旅

奥本美香
Mika Okumoto

Indice【目次】

3章 イタリア南部

はじめに

1861年、ヴェネツィアやフィレンツェ、ナポリといった都市国家が統合されてできたイタリア共和国。それぞれの都市国家がいろいろな国の影響を受けながら、特徴的な文化を築き上げている。地域ごとに異なる文化や歴史がまるでモザイクのように交錯したイタリアは、私たちを常に魅了し、飽きさせない。

以前、地方料理を食べ比べてみようと、イタリア全20州をめぐる旅に出た。アルプスのふもとではチーズやキノコがふんだんに使われている。南に行くほどスイーツはボリュームがあり、肥沃な土地で育つ真っ赤なトマト、丸々としたレモンが印象的で、乾燥した空気の中でオリーブの葉が風に揺れていた。

パスタもパンも、そしてピザも、地域ごとに大きさも呼び方も異なっているのが楽しい。人の気質も、言葉も何もかもが異なっていて、私はそんな違いを比較しながら、イタリア全土の旅を満喫した。

そうやってイタリア中を旅していて気づいたことがあった。レンガ造りの建物が寄り添うように建ち、中世の街並みをそのまま残す地域から、素朴な石造りの建物を残す地域、さらにはアラブ様式の神秘的な美しさを放つ町もある。イタリアは料理や文化だけではなく、当然ながら、建物も歴史も地域ごとに異なっているのだ。

なんということか、今度はイタリア各地にある建物や遺跡を見てまわり、歴史の違いやその空気を肌で感じてみたくなってしまった。一気に北から南へと縦断し遺跡を訪ねたなら、どれぐらい違うのかよくわかるのではないか？すでに私の家族は呆れている。また、イタリア中をまわるのかと、白い目で見ている。しかし、この熱い想いはもう抑えられない！

ある年の夏休みを遺跡めぐりに充てて、一気に見てまわることにした。皆さんもどうかこんな私に呆れず、イタリア世界遺産めぐりの旅を一緒に楽しんでください！

MAPPA SITI UNESCO
イタリア世界遺産マップ
IN ITALIA

INDEX

世界遺産の登録基準

登録の基準

世界遺産リストに登録されるためには、「世界遺産条約履行のための作業指針」で示されている下記の登録基準のいずれか１つ以上に合致するとともに、真実性（オーセンティシティ）や完全性（インテグリティ）の条件を満たし、締約国の国内法によって、適切な保護管理体制がとられていることが必要です。

(i) 人間の創造的才能を表す傑作である。

(ii) 建築、科学技術、記念碑、都市計画、景観設計の発展に重要な影響を与えた、ある期間にわたる価値観の交流又はある文化圏内での価値観の交流を示すものである。

(iii) 現存するか消滅しているかにかかわらず、ある文化的伝統又は文明の存在を伝承する物証として無二の存在（少なくとも希有な存在）である。

(iv) 歴史上の重要な段階を物語る建築物、その集合体、科学技術の集合体、あるいは景観を代表する顕著な見本である。

(v) あるひとつの文化（または複数の文化）を特徴づけるような伝統的居住形態若しくは陸上・海上の土地利用形態を代表する顕著な見本である。又は、人類と環境とのふれあいを代表する顕著な見本である（特に不可逆的な変化によりその存続が危ぶまれているもの）。

(vi) 顕著な普遍的価値を有する出来事（行事）、生きた伝統、思想、信仰、芸術的作品、あるいは文学的作品と直接または実質的関連がある（この基準は他の基準とあわせて用いられることが望ましい）。

(vii) 最上級の自然現象、又は、類まれな自然美・美的価値を有する地域を包含する。

(viii) 生命進化の記録や、地形形成における重要な進行中の地質学的過程、あるいは重要な地形学的又は自然地理学的特徴といった、地球の歴史の主要な段階を代表する顕著な見本である。

(ix) 陸上・淡水域・沿岸・海洋の生態系や動植物群集の進化、発展において、重要な進行中の生態学的過程又は生物学的過程を代表する顕著な見本である。

(x) 学術上又は保全上顕著な普遍的価値を有する絶滅のおそれのある種の生息地など、生物多様性の生息域内保全にとってもっとも重要な自然の生息地を包含する。

※なお、世界遺産の登録基準は、2005年２月１日まで文化遺産と自然遺産についてそれぞれ定められていましたが、同年２月２日から上記のとおり文化遺産と自然遺産が統合された新しい登録基準に変更されました。文化遺産、自然遺産、複合遺産の区分については、上記基準(i)～(vi)で登録された物件は文化遺産、(vii)～(x)で登録された物件は自然遺産、文化遺産と自然遺産の両方の基準で登録されたものは複合遺産とします。

公益社団法人　日本ユネスコ協会連盟
（https://www.unesco.or.jp/activities/isan/decides/）より

1章
イタリア北部

Nord Italia

現在まで17万点以上の岩絵が発見されている

Patrimonio mondiale

1

ヴァルカモニカの岩絵群

1979年登録／文化遺産 iii vi

古代人の足跡を残した渓谷をぶらりと歩く

オーリオ川沿いの70キロつづくカモニカ渓谷に沿って、さらに旧市街地が美しいブレーノ市を越え、多くの観光客がやってくる。ここには、約1万年前からローマ帝国時代を経た約8000年にわたって描き続けられてきた岩絵線刻画があり、イタリアの世界遺産第1号だ。

ミラノから電車に乗り、ブレーシャ駅で乗り換えてのんびり走る電車に30分ほど揺られていると、左側にイゼオ湖が見えてくる。イゼオ湖の中には、モンテ・イゾラがどっしりと浮かんでいる。モンテ・イゾラは湖に浮かぶ島として、ヨーロッパでもっとも大きな島の1つなのだとか。さらに電車に揺られて、カーポ・ディ・ポンテ駅に降りる。

駅を出ると、黄色い標識が目に入る。標識は、岩絵が見つかったエリア何か所かを指し示しているが、今回はもっとも有名な国立ナクアーネ公園へ向かうことにした。

このヴァルカモニカの岩絵群と対面を果たすのが楽しみでたまらない。私が住むロンバルディア州の州旗にはカムニ族[※1]の線刻画「カムニのバラ」が描かれているのだ。

緩やかな坂を進み、山間に入っていく。木々の緑の下は夏場だというのに涼しい。入口近くに小さな広場、大きな栗の木の下には木製の机とベンチがある。水道の蛇口からは冷たい水が噴き出ている。公園は山々に囲まれており、谷底約200メートルのところにある。大きな岩の上に様々な線画が掘られた岩絵は、このナクアーネ公園でもっとも多く発見されており、保存状態も良い。

大きな岩と岩の間でカムニ人のメッセージを読み解く

栗や樺の木が生い茂り、公園というよりも森のようだ。たくさんの大きな岩の上一面に広がる小さな草花が姿を見せる。100万年前、アダメッロ山から出発した氷河の溶け水がイタリア北部の山々を渡り、たまったのがイゼオ湖である。

このカムニの巨大な氷河の侵食によって研ぎ澄まされたため、岩の表面は滑らかだ。その岩々の上に、カモニカ渓谷に住むカムニ人たちが日常の生活風景や戦争、狩猟の姿を掘ったのだ。

イタリア人の友人は、先史時代のことだからぐるぐると渦を描いただけだろうと言っていたが、そんなことはない。はっきりと、その線画が家だったり人間の形だったりすることが読み取れる。ローマ帝国時代のアルファベットも彫られているのだ。人間の祖先、その生活様式を知る上で、この岩絵の重要さが伝わってくる。

何度見ても理解不能なものもある。前述の友人は〝古代人の落書き〟と言っていたが、そう考えると、約1万年も前に岩絵を掘っていたカムニ族が身近に感じられる。なぜ、絵を描いたのか。なぜ、それを岩の上に彫ったのか。どのような姿をして彫っていたのだろうか。気になることは山

岩絵には塊ごとに番号がふられ、説明書きがある

ほどある。

次々とカムニ人の残したメッセージを読み解いていこう。空が澄み渡る天気の良い一日、この公園を訪れて岩絵を見て歩いているうちに気づくはず。あぁ、この公園はなんて大きいんだ！

※1 紀元前8000年頃、ブレーシャ県、中央アルプスにあるカモニカ渓谷に住んでいた民族。

見えづらい岩絵も何度も見ていると、どんどん見えてくるから不思議

Parco Nazionale delle Incisioni Rupestri di Naquane（国立ナクアーネ岩絵公園）

パルコ・ナツィオナーレ・デッレ・インチズィオーニ・ルペストリ・ディ・ナクアーネ

[住] Località naquane, 25044, Capo di Ponte
[電] 0364. 42140
[HP] www.parcoincisioni.capodiponte.beniculturali.it
[料] 6ユーロ
[営] 火～土曜8:30～16:30（チケット販売は閉園30分前まで）
[休] 月曜、その他イタリアの祝日、1/1、5/1、12/25
（月曜が祝日の場合は開園、この場合、火曜が閉園）

scopri di più

岩絵を見た後に、寄り道しよう！「サン・シーロ教会」

国立ナクアーネ岩絵公園から遠くに見えたのはサン・シーロ教会。オーリオ川近くの山腹、標高410mのところにある。教会へ行くには、なだらかな坂道を上がるが、その一部には1930年代に造られた古い階段もある。

教会にはローマ時代以前に作られたという地下聖堂がある。この教会を建てたのは古代ローマ人とされているが、1585年聖人カルロ・ボッロメーオがこの町を訪れた際に建立した。

この教会は形、位置が面白い。建物は西ヨーロッパによくみられるように中心線を東西方向において建てられているが、本来、西側に置かれるはずの入口が、南側にある。というのも、教会の西側部分は崖の中にあり、東側は崖の上という、まさにがけっぷちの教会なのだ。

教会の古さに比べて、鐘楼は1447年のものと比較的新しい。鐘楼が置かれる前には、いったいここに何があったのかと不思議だ。鐘楼が「隠者の家」とよばれていることから、宗教上の理由で誰かがひっそり住んでいたのかもしれない。

発掘作業中、城壁や古代人が暮らしていた形跡も見つかっているというので、古代に興味のある人にはますます面白いエリアとなりそうだ。

Pieve di San Siro
（サン・シーロ教会）

ピエーヴェ・ディ・サン・シーロ

［住］Via Pieve di San Siro, 25044, Capo di Ponte, Brescia
［電］0364. 442080

Patrimonio mondiale 2

レオナルド・ダ・ヴィンチの『最後の晩餐』があるサンタ・マリア・デッレ・グラツィエ教会とドメニコ会修道院

1980年登録／文化遺産 i ii

手前がゴシック様式、後陣がルネサンス様式の2つの様式をもつ壮大な教会

サンタ・マリア・デッレ・グラツィエ教会

トラムに乗ってにぎやかなマジェンタ通りを行き、サンタ・マリア・デッレ・グラツィエ教会駅で降りると、通りの少し奥まったところに教会が2つある？

ミラノ公国の領主フランチェスコ・スフォルツァの統治下、ヴィメルカーティ伯爵がドメニコ派の修道士に与えた土地に建てた教会は、当初、サン・ドメニコとよばれ、1463年9月10日、建築家ソラーリによって工事が開始された。ソラーリは建築に30年という長い年月を費やし、それに怒ったフランチェスコは、全部壊して新たな修道院を建てるようブラマンテ[※1]に依頼した。

フランチェスコはこの教会を、家族を葬るための礼拝堂にしたかった。ブラマンテはすぐに設計に取り掛かり、すでに建築されたゴシック様式の教会の一部を残すよう指示した。その数年後、スフォルツァ家は滅亡し、建築作業は中断。妻ベアトリーチェが亡くなった際に制作されたフランチェスコと妻の墓用彫刻像は、パヴィアの僧院に移された。

1つの教会に2つの様式が見られるのは、ソラーリとブラマンテの2人が建築に携わったからだ。そして1469年、教会の名前はサンタ・マリア・デッレ・グラツィエへと変更された。

※1 ブラマンテ（1444‐1514）…ルネサンス期を代表する建築家。ヴァチカン市国のサン・ピエトロ大聖堂の建築に携わるが、完成できず、後にラファエロやミケランジェロが建築を引き継いだ。

「カエルの中庭」とよばれる中庭。噴水の周りにはブラマンテによる4匹のカエルの像がある

ダ・ヴィンチの「最後の晩餐」

教会入口の左側にある扉から入り、小さな通路を通って、食堂の中へ。この食堂の壁に、フランチェスコの四男、ルドヴィーコがレオナルドに注文した「最後の晩餐」がある。ルドヴィーコから馬の銅像[※2]も同時に注文を受けていたというのに、絵は3年で完成した。

作家マッテオ・バンデッロ[※3]は「最後の晩餐」を制作中のレオナルドについて、次のように記している。「朝早く、はしごの上に上がり、かなり高いところで絵を描いていた。日の出から、外が暗くなるまで、食べることも飲むことも忘れて、ひたすら絵を描き続けた。制作をした翌日から2、3日は休養したが、それでも1日1、2時間は作品を眺めて批評していたが、絵に手をつけることはなかった。私はそんなレオナルドを見ていた。」

乾いた壁にフレスコでなく、漆喰を塗り、いつもの画材、技法で絵は描かれたが、完成間際にはすでに下の方にひびが入っていた。1500年代になると絵の損傷は激しく、ミケランジェロの弟子ヴァザーリによると、キリストの顔が特に傷んでいて認識すら難しい状態であったという。

右から2番目のタダイの顔はダ・ヴィンチ本人ともいわれている

さらに、ナポレオン統制時代、兵士たちがここで食事をし、連れていた馬の小屋として使用。第二次世界大戦中には爆撃を受け、教会はほぼ全壊。しかし、その瓦礫の中で不思議と食堂だけが残っていた。レオナルドの「最後の晩餐」が描かれた壁は、少し砂をかぶった程度だったというから、まさに奇跡というよりほかない。

※2　ルドヴィーコが父親の記念の像として依頼したもの。1999年、ダ・ヴィンチが描いた下図をもとに制作され、現在、ミラノ市内にあるサン・シーロ競馬場の入口に置かれている。

※3　マッテオ・バンデッロ（1480－1562）…ドメニコ派の修道士であり作家でもあった。ミラノのスフォルツァ家に仕えていた。

Chiesa di Santa Maria delle Grazie（サンタ・マリア・デッレ・グラツィエ教会）
キエーザ・ディ・サンタ・マリア・デッレ・グラツィエ
[住] Piazza di Santa Maria delle Grazie, 20123, Milano
[電] 02. 4676111　[料] 無料
[HP] http://legraziemilano.it
[営] 10:00～12:55
15:00～17:55
祝日は午後のみ（観光のための入場時間）

Ultima Cena（最後の晩餐）
ウルティマ・チェーナ
[住] Piazza Santa Maria delle Grazie 2, 20100, Milano
[電] 02. 92800360
[営] 8:15～19:00
（最終入場は18:45）
[料] 10ユーロ＋2ユーロ（予約料）
毎月第1日曜は無料
[休] 月曜、1/1、5/1、12/25

scopri di più

レオナルドのブドウ園

ミラノには忘れられたストーリーが1つある。レオナルド・ダ・ヴィンチのブドウ園だ。これは「最後の晩餐」の褒美として、ミラノ公国の領主ルドヴィーコ・イル・モーロがレオナルドに贈ったものである。

レオナルドは死の1か月前、遺言状を作成している。そこには、ブドウ園の半分を一番弟子のサライへ、もう半分をフランスまで連れてきた召使のヴィッラーニに残すと記されていた。その後、サライはそこに家を建てたが、何者かに暗殺され、別の人物へ譲渡。一方、ヴィッラーニは修道院へ売却している。

1920年代、建築家ベルトラーミがレオナルドに関する史料から、ブドウ園の場所を突き止めたときには、オリジナルに近い状態で残っていたそうだが、その後、火事によりブドウ園は大きな被害を受けてしまった。

ベルトラーミが残した写真や資料、さらに土の中に残っていたブドウの残存などから、遺伝学者やワイン学者により、レオナルドが栽培していたブドウ品種を見つけることに成功。2015年、ミラノ万博を機に、ブドウ園はオリジナルに忠実に再現、公開されている。

La Vigna di Leonardo
（レオナルドのブドウ園）

ラ・ヴィーニャ・ディ・レオナルド

[住] Corso Magenta 65, 20123, Milano
[電] 02. 4816150
[HP] www.vignadileonardo.com/en
[営] 月～金曜9:00～18:00
（見学は30分おきに開始、最終入場は17:30）
土・日曜9:00～18:00
（見学は15分おきに開始、最終入場は17:45）
[料] 10ユーロ

Patrimonio mondiale 3

クレスピ・ダッダ

1995年登録／文化遺産 ⅳ ⅴ

工員の家はイタリア三色旗のように赤、白、緑の3種類の色になっている

労働者にとって理想の小天地

1878年、クレスピ村は綿紡績業を営むクレスピ家によって造られた。工員にとって理想のコミュニティを築くという理念のもと、彼らには庭付きの一戸建ての家を約束するだけでなく、村には学校や教会、診療所、墓地のほか、娯楽施設や劇場、銭湯も建てられた。子供たちには学校で使う文具や給食も支給し、生活に必要なものを工員の家族含め全員が満足できるよう保証していた。

村は一般的な生活モデルの良い模範例ともなった。電気設備や給湯といった当時、画期的なシステムを導入したのも、イタリアではこの村が初めてだ。

時が止まったままの村

クリストフォロ・クレスピは新しい工場の理想的な開設所として、アッダ川とブレンボ川の間にある三角地帯を選んだ。川の水を電力として使用するためだ。そして、息子であるシルヴィオ指揮[※1]のもと、10年間で生活に必要な施設が次々と建てられ、クレスピ・ダッダ村が生まれた。

理想の村は1920年に終わりを告げたが、現在も当時の景観が手付かずのまま残っており、工員の子孫約450人が住んでいる。

工場横の小高い場所で村全体を見渡す城のような建物は、クレスピ家の邸宅。工場前には工員の家が並ぶ。壁にあるガラスのない窓は、外観を意識した偽物の窓。各家には庭や菜園が備わっている。庭にある小さな小屋はお風呂。

村の中心から離れた場所にある高貴な邸宅数軒は、工場の責任者たちの家。小高いところに建つ風変わりな建物は、村の医者が住む家。メイン通りを進むと、その先に墓地がある。クレスピ家の大きな霊廟の前には、クレスピ家を崇めるように工員たちの墓が向かい合って並んでいる。

クレスピ村にある教会は、クリストフォロの生まれ故郷ブスト・アルシーツィオ市にあるサンタ・マリア教会をコピーしたもの。小天地でもなお故郷への思いを大切にしていたようだ。

※1 シルヴィオ・ベニーニョ・クレスピ（1868-1944）…工場の創設者であるクリストフォロ・ベニーニョは起業家だったが、クレスピ村を完成させた息子のシルヴィオは起業家、発明家、そして政治家でもあり、イタリア銀行の頭取も務めた。

クレスピ村の全景

メイン通りに沿って並ぶ倉庫

工場の入口にある75mの大きな煙突は村のシンボル

Associazione Culturale Villaggio Crespi（クレスピ村文化機関）

アッソチャツィオーネ・クルトゥラーレ・ヴィッラッジョ・クレスピ

[住] Piazzale Vittorio Veneto 1, Crespi d'Adda, 24042, Capriate, Bergamo
[電] 02.90987191
[HP] www.villaggiocrespi.it
[料] 無料。ガイド付きは6ユーロ（10歳以下は無料）※土・日曜のみ要予約

Patrimonio mondiale 4

マントヴァとサッビオネータ

2008年登録／文化遺産 ⅱ ⅲ

ヴェスパシアーノの住居だったドゥカーレ宮殿

ルネサンスの理想

マントヴァとサッビオネータの2つの町は、ゴンザーガ家[※1]の影響を受けた町で、それぞれがルネサンス期における都市計画の象徴である。これらの町において芸術創作に貢献した芸術家たちは、初期ルネサンスの理想となるような傑作を数多く生み出し、ヨーロッパ全体に影響を与え、国際的な広がりに大きく貢献した。

小さなアテネ「サッビオネータ」

中世、小さな田舎町の本当の歴史は、サッビオネータ公ヴェスパシアーノ・ゴンザーガとともに始まる。彼はラテン文学に夢中で、勉強熱心、そして情熱的な男だった。優秀な学者や素晴らしい芸術家を集め、彼らが生み出す作品を用いて、町を「小アテネ」の称号に値するほど洗練された芸術・文化の中心となる理想的な文化都市へと変えていった。１５００年代に建てられた六角形の壁に囲まれた町には、当時の建物が今日も残っている。

しかし、1591年のヴェスパシアーノの死により、サッビオネータの町の衰退がはじまる。彼の家の多くは廃墟に陥るか、しだいに姿を消していった。しかし、私たちの訪問を面白くしてくれるものが残っていれば、それで十分！ 当時の面影はまだあちこちで見ることができる。

ヴェスパシアーノ時代の雰囲気を保っている町では、16世紀半ばに建てられたドゥカーレ宮殿は見逃せない。ここから50メートルほど離れたところには、1588年に建てられた八角形のインコロナータ教会があり、大理石で造られたヴェスパシアーノの霊廟がある。

パッラーディオの弟子スカモッツィの作品であるオリンピコ劇場は1590年に完成。ファサードには、「ローマ遺跡を見れば、ローマの偉大さが分かる」という碑文が刻まれている。内部には、長方形で古典的なオリュンポス十二神の彫像で飾られた半円形のロッジャがあり、1950〜1960年に行われた修復により、彫像の背後には16世紀後半に描かれたヴェネツィア派のフレスコ画も見つかった。

※1 イタリアにおける貴族の家系で、マントヴァの僭主として有名。ヴェスパシアーノ・ゴンザーガ（1531・1591）はサッビオネータ伯爵家の4代目当主。

庭園宮殿

テ離宮

サンタ・マリア・アッスンタ教会

クレモナの伝統的なバイオリンの製作技術

2012年登録／無形文化遺産

多くのバイオリン職人が熟成させたドロミーティ渓谷の木を使用している

バイオリンの町「クレモナ」

初めてバイオリンを手にとって、びっくり。まったく重さが感じられない！　バイオリンを分解する光景を見たなら、さらに驚くはず。それは数日前、私の目の前で起きた。

クレモナはバイオリンの生産地として有名な町だ。現在、154名のバイオリン職人が登録されている。すべてのバイオリン工房は、グァルネリやベルゴンツィといった何世代にもわたってバイオリン製造を伝承してきた家系の苗字がついている。これらの家系がバイオリンを製造しはじめたのは1700年代のことだが、もっとも有名なのは、アントニオ・ストラディバリだろう。

ストラディバリはバイオリン職人のシンボル

ストラディバリのバイオリンが有名なのは、その豊かな音色の響きにある。非の打ち所のない技量、塗料の重ね塗りによる美しい外観、バイオリンの表板は木の渦を見事に活かし、

小さなノミやカンナを使い分けて製作する。ネックでもっとも難しいのは渦の部分なのだとか

すべてが完璧。しかし、作品の価値はその数にも関係している。

彼の残した作品を見るためにクレモナに大勢の人がやって来るが、現存するものは少ない。生涯で1200以上の楽器を作ったと言われているが、サビオネーリとよばれる彼のギターなどは世界に5本しかない。

バイオリンが制作されていた彼の自宅は消え、遺体が埋葬された教会も取り壊された。天才の手によって生み出された弦楽器は少ししか残っていないが、彼が使用していた道具や図面は今も博物館に残っている。

バイオリン工房の見学

バイオリン職人フィリップ・デヴァヌオー氏の工房に到着。彼はフランスからクレモナへ引っ越してきた職人だ。

薄い2枚の木を貼り合わせて、バイオリンの形に切り、組み立てる。自然のもので作られたニスを約40回塗り重ね、深みのある色合いを出す。1つのバイオリンを作るには約2か月かかる。

最後にフィリップさん自らがバイオリンの音色を聞かせてくれた。次に「弾いてみたい？」と言われたが、高級なバイオリンを手にするのは怖い！

冒頭で書いたように、バイオリンは想像するよりもはるかに軽い。馬の尻尾の毛で作られた弓を持ち、恐る恐る弦の上に滑らせてみる。フィリップさんがリードしてくれて、初めてバイオリンの音色が静かに工房に響き渡ったときは、思いのほか感動してしまった。

Bottega di Liuteria Ph. Devanneaux
（フィリップ・デヴァヌオー工房）
ボッテーガ・ディ・リューテリア・フィリップ・デヴァヌオー

[住] Via Sicardo Vescovo 12, 26100, Cremona
[電] 340. 8498023
[HP] www.violini.net
[料] 10ユーロ、cremona@violini.net（要予約）

Museo di Violino
（バイオリン博物館）
ムゼオ・ディ・ヴィオリーノ

[住] Piazza Guglielmo Marconi 5, 26100, Cremona
[電] 0372. 080809　[料] 10ユーロ
[HP] www.museodelviolino.org
[営] 10:00〜18:00
[休] 月曜、1/1、12/24, 12/25, 12/31

Patrimonio mondiale
6

レーティッシュ鉄道アルブラ線・ベルニナ線と周辺の景観

2008年登録／文化遺産 ⅱ ⅳ

路線はすべて手作りで、橋やトンネルが地形に合わせて作られている

1900年代初期の足跡をたどるレーティッシュ鉄道

イタリアのティラーノとスイスのサン・モリッツを結ぶレーティッシュ鉄道[*1]のベルニナ線、そしてサン・モリッツとトゥージスを結ぶアルブラ線は、初めて国境の壁を越えて登録された世界遺産である。全長67キロのアルブラ線は、1903年まで蒸気機関車が険峻なアルプスの標高596メートルから1820メートルを走り抜けた。

見どころは、アルプスでもっとも高いところにあるラントヴァッサー橋。高さ65メートル、長さ136メートルの橋は15メートル間隔に置かれた65本の柱で支えられている。下にはラントヴァッサー川が流れており、足場を使わずにこれらを建てたともいうから驚きだ。この独特な橋は200メートルもある岩のトンネルへとつづき、そこから一気に山を下る。

アルブラ線沿いに、ブレーダという小さな町がある。住民が10人という正真正銘の小さな町だ。冬、リュージュのコースになったことで有名になった。

※1　スイス最大の私鉄。レーティッシュとは紀元前3000年頃から住んでいた先住民ラエティア族の名前に由来している。

息をのむほど美しい村々の中を通り抜けて

ポスキアーヴォ駅を越えると、徐々に雪が見えてくる

出発地点ティラーノ駅では、たくさんの列車が待機している

私はイタリアのティラーノ市から全長61キロのベルニナ線に乗った。旅は乗車券を購入するところから始まっている。真っ赤な列車に乗ると、イタリア語を流暢に話すスイス人の車掌がさっそく乗車券のチェックにやってきた。

列車はティラーノの町を進み、窓から見える聖マリア大聖堂が美しい。車内ではハーブティーがお土産に配られた。のどかな野原の中を進み、一番に現れる名所はブルージオの降下橋。360度のループをゆっくり進み、徐々に上昇していく。遠くに小さな村、透明な水の流れる川、エメラルド色の湖が見える。列車は緩やかなカーブを描いて走り、さらに山の奥へと突き進む。

ポスキアーヴォ駅を越え、ジグザグの線路を進み、さらに山を登る。標高2300メートルに達すると、のどかな春の景色から一変して雪が一面に広がる。周りの乗客は立ち上がり、一斉にカメラのシャッターを切り始めたが、その後、雪景色にはしゃいでいた子供は退屈そうにし、我先にと窓を奪い合って写真を撮っていた乗客たちは、撮った写真をチェックしはじめた。

ドイツ人作家、トーマス・マン[※2]は『魔の山』の執筆時、レーティッシュ鉄道に乗り、「この山の急な斜面を走る道の

カンパシオの町

りは、永遠に続くかのようだ」と言ったが、確かに同じ景色を眺めていると、時間が経つのが長く感じられる。

それにしても、この列車は普通に敷かれた線路の上を走っているから驚きだ。通常、列車が山道や坂道を上る場合、ラックレールと呼ばれるレールとレールの間にギザギザ状のレールがもう一本あり、車両の床下に設置された歯車とかみ合わせて急勾配を上り下りするのが一般的なのだ。

終点のサン・モリッツ駅で下車すると、予期せぬ寒さ。あまりの寒さに私はすぐに、ティラーノへととんぼ返りしてしまった。

※2 トーマス・マン（1875・1955）…ドイツ人作家。『魔の山』の執筆のため、ダヴォスという町に滞在していた。

サン・モリッツ駅

Patrimonio mondiale
7

サン・ジョルジョ山

2003年登録、2010年拡張／自然遺産 viii

標高1097mのサン・ジョルジョ山はまさに化石の宝庫

サン・ジョルジョ山に眠る化石

サン・ジョルジョ山は、スイスのティチーノ州とイタリアのロンバルディア州にまたがる南アルプスの麓にある。9500万年前、アフリカプレートがユーラシアプレートに衝突したことで、海水面が上昇し、堆積した地層が盛り上がって次々とアルプスの山が形作られていったなかで生まれた。この時、海底にあった泥に生物の残骸が閉じ込められていたため、多くの化石を含みながら山となり、地上に現れた。サン・ジョルジョ山は、約2億4700万年前の海洋生物の化石を含む非常に重要な地層でできている。

非常に珍しいことなのだが、この山は中生代三畳紀中期に属する5つの異なった地層を持ち、それぞれの層に化石が多数眠っている。この5つの層から出土した化石は2万点以上。約25種の海生爬虫類、50種の魚類、100種以上の無脊椎動物、そのほか様々な種類の植物が含まれている。これらの化石の発見が、100万年以上にわたる地球の進化の様子を教えてくれ、特に地質学や古生物学の分野でとても重要な意味をもつのだという。

スイスとイタリアにまたがる山のスイス側は2003年

に世界遺産登録されているが、２０１０年、イタリア側も登録され、ついに山全体が世界遺産となった。

何億年前の化石が眠る山をハイキング

スイス側とイタリア側にある山の両斜面は2つの国が協力し合い、研究のために作られた小道で結ばれている。この小道に沿って化石が眠っており、発掘作業は今も続いている。各所に設置されたパネルでは2億年以上前に失われた生命についての説明がなされている。

天気の良い日は絶好のハイキングコースで、山から一望できるアルプスとルガーノ湖の光景は迫力があり、大自然を感じさせる。空気が美味しく、不思議と健康になれた気さえするのだ。しかし、この小道すべてを制覇しようとすると、7時間はかかってしまう。化石をもっと簡単に見る方法は、間違いなく博物館に行くこと。ここで発見された化石は、イタリアのヴァレーゼ県にあるベサーノ市立博物館、スイスのティチーノ州にあるメリデ化石博物館で見ることができる。

21Kmつづく小道のうち8Kmがイタリア領

一瞬で数億年前へタイムスリップ

昔、南アルプス一帯は海だった。2億年以上前、気候は乾燥し、植物が繁茂していた。陸に生息していた恐竜類、イルカのような魚竜類が誕生したものの、環境の強い変化が原因で大半が消滅した。サン・ジョルジョ山に眠る海洋生物の化石が、このことを証拠づけている。

外から見れば何の変哲もない普通の山。実際、古代に生息していた生物の化石を見るために博物館へ足を運ぶのは、観光客より研究者か学生、恐竜好きな子供を連れた家族だ。

午後3時、ヴァレーゼ県にあるベサーノ市立博物館に到着した。建物は細い路地を入ったところにある。想像していたよりもこぢんまりした館内では、学者のようなおじいさんが化石を熱心に見ていた。階段を上がると小さな部屋が3つ。ガラスケースの中に化石が所狭しと並べられている。

化石は保存状態が良く、一目見て「恐竜だ！」と叫んでしまいそうなほど。想像もつかないような昔に生息していた生き物に想いを馳せると、映画『ジュラシック・パーク』が目の前に現れそうだ。

ベサノサウルスのオブジェ。学名は出土した地の名前がつけられている

1700年代、燃料に換わる片岩を採掘しはじめたのが化石の存在を知るきっかけだった

イルカのような魚竜の化石

1854年、博物学者コルナリアによってはじめて語られたノイスティコサウルス

Museo Civico dei Fossili di Besano
（ベサーノ市立博物館）

ムゼオ・チヴィコ・デイ・フォッスィリ・ディ・ベザーノ

［住］Via Prestini 5, 21050, Besano
［電］0039. 3492182498
［HP］www.montesangiorgio.org/
［料］4ユーロ50セント（6〜14歳は3ユーロ）
［営］月・水・金曜9:30〜12:30、木曜14:30〜17:00、日曜14:30〜18:00　※土曜は予約者のみ
［休］月曜

Patrimonio mondiale

8

ピエモンテ州とロンバルディア州のサクリ・モンティ

2003年登録／文化遺産 ii iv

ヴァラッロのサクロ・モンテはキリストの生涯を彫刻や絵画で表現した45の礼拝堂がある

黙想の場、サクロ・モンテ

9つのサクロ・モンテ※1は、アルプス山脈の丘陵地帯の頂上にあり、孤立していて、しばしば辿り着くのも難しいような場所にある。1500年代半ばに建てられた礼拝堂や聖堂といった神聖な建築物で構成されており、サクロ・モンテは、実際に行くことが困難な聖地の代わりの巡礼地として造られた。

サクロ・モンテの存在は宗教的な意味合いばかりではない。礼拝堂にあるたくさんの壁画や彫刻により芸術面でも非常に重要な意味をもち、信者だけでなく芸術愛好家も足を運ぶ場所だ。

サクロ・モンテはピエモンテ州に7つ、ロンバルディア州に2つあり、これら9つが世界遺産に登録されているが、実はイタリアだけでなく海外にも存在し、よく似た特性をもつ宗教的な場所は、ヨーロッパに約2000あると推定されている。

※1 聖なる山という意味。サクリ・モンティはサクロ・モンテの複数形。

美術、信仰、歴史、そして自然との出会い

この日、私が向かったのはピエモンテ州ヴァラッロのサクロ・モンテ。9つあるサクロ・モンテの中でもっとも古い。駅から緩やかな坂道を歩くと、ロープウェイ乗り場に着く。ヨーロッパでもっとも急な傾斜を登るロープウェイだそうだ。ロープウェイに乗り込み、下を見ているとヴァラッロの町とセージア川を一望。このサクロ・モンテはヴァラッロの町を見下ろす岩山の上、標高600メートルのところにある。

ここは「新エルサレム」と呼ばれており、パレスチナへの巡礼に忠実に取って代わる聖地であることを意味している。1491年、キリストの受難や死が忘れ去られないようにと、フランシスコ会修道士ベルナルディーノ・カイミが設立した。

岩山の頂上付近に到着し、緩やかな坂道をさらに歩くと、早速1番目の礼拝堂が見えてくる。礼拝堂の中にはアダム

礼拝堂1番「アダムとイヴ」

礼拝堂20番「最後の晩餐」

礼拝堂27番「キリストの裁判」

礼拝堂36番「ゴルゴタの丘への行進」

礼拝堂40番「ピエタ」

礼拝堂45番「聖母マリア大聖堂」

礼拝堂42番「聖墳墓」

とイヴの像があり、人類の誕生が表現されている。2番目の礼拝堂へ向かうと、次は「受胎告知」の場面。10番目の礼拝堂には「イエスのエジプトへの逃亡」が、さらに「幼児虐殺」「イエスの洗礼」へと場面は進み、最後はキリストが眠る「聖墳墓」で終わる。

合計45ある礼拝堂の中で、キリストの生涯に起こった様々な出来事を彫刻像とフレスコ画で表現しており、45番目の大聖堂の地下には眠る聖母が収められている。45の礼拝堂において、フレスコ画に描かれた人物は全部で約４０００人、また彫刻像は約８００体ある。

巨匠が作り出す彫刻やフレスコ画は、芸術と信仰の抜群のハーモニーを醸し出している。キリストが十字架に張り付けられた「キリストの磔刑」、十字架から降ろされる「降架」、死んだキリストを母マリアが抱く「ピエタ」は、キリスト教徒でなくても残酷さや悲しみが切々と伝わってきて、心が痛む。

人気がなく静寂な空間にあるサクロ・モンテは、ゆっくりと時間が流れている。神聖な場所としての神秘さを含み、さらに周りの自然の雰囲気とも相まって、とてもスピリチュアル。不思議と心が研ぎ澄まされたような気分になってくる。

Patrimonio mondiale

9

サヴォイア王家の王宮群

1997年登録／文化遺産 i ii iv v

現在、トリノ工学院建築学部の校舎に使用されているヴァレンティーノ城

トリノにおけるサヴォイア家の住居と権力

1562年、サヴォイア公国の首都がトリノへ移る。さらに1720年、サヴォイア家が王権を手に入れ、トリノはサルデーニャ王国の首都へ。君主としてのサヴォイア家の権力を目に見える形にするため、エマヌエーレ・フリベルトは膨大な数の建物を建て始めた。

現在、ピエモンテ州にはサヴォイア家の王宮が21ある。権力者のシンボルとなる城はトリノの王宮の他に、マダマ宮殿、カリニャーノ宮殿、キアブレーゼ宮殿などもある。

王室のスタイルとしては、ヴェナリア宮殿など6つの宮殿[※1]があり、町から離れた静かで優雅な宮殿ではパーティーやその他の娯楽が開かれていた。

休日に過ごす避暑地としての宮殿は人里離れた田舎にあり、アリエ公爵城をはじめとする8つの城[※2]が緑に浸るようにして建っている。

当時の最高の建築家や芸術家によって建てられた風格のあるピエモンテのバロック様式の建物は近代的かつ芸術的な建物の見本であり、それらが絶対君主制の威光を示すために用いられた経緯から、世界遺産に登録された。

※1 ヴェナリア宮殿、レジーナ邸、ヴァレンティーノ城、モンカリエーリ城、ストゥピニージ狩猟宮殿、リヴォリ城の6つ。

※2 アリエ公爵城、マンドリア城、ラッコニージ城、ポッレンツォ城、ゴヴォーネ城、カゾット城、サンテーナ城、スーザ城の8つ。

狩猟のための別荘

トリノの町から数十キロ離れた平野にある小さな町。そこにサヴォイア家の狩猟用の別荘として知られる豪華な宮殿がある。ヴィットリオ・アメデオ2世の依頼により、1729年から1733年にユヴァラ[※3]が建てたストゥピニージ狩猟宮殿だ。狩猟装飾を完成するために、1776年、丸屋根の上に彫刻家ラダッテ[※4]がつくった鹿の像が置かれた。

宮殿は広大な公園に囲まれ、4本の通路をホールでつないだ十字架の形をしていて、部屋は住居用である。全部で137部屋、15のホールがあり、中央ホールや王と王妃の数々の部屋もユヴァラの設計である。宮殿内には「美術館と家具の歴史博物館」もあり、他のサヴォイア家の住居から持ち込まれた家具や絵画などが展示されている。

宮殿には多くの著名人が招待されたが、ナポレオンもここを訪れており、1805年5月5日から16日まで滞在したといわれている。

※3 フィリッポ・ユヴァラ（1678・1736）…18世紀においてもっとも偉大な建築家。舞台設計者としても名を馳せた。

※4 フランチェスコ・ラダッテ（1706・1787）…トリノ出身の彫刻家。トリノ、ローマ、パリなどで働いた後、1745年からトリノに腰を据え、カルロ・エマヌエーレ3世・ディ・サヴォイア（サルデーニャ王国第2第国王）のために、公私にわたって作品を制作するなど、ブロンズの彫刻家として活躍した。

ヴァレンティーノ公園

マダマ宮殿

トリノ王宮

Palazzina di Caccia di Stupinigi
（ストゥピニージ狩猟宮殿）
パラッツィーナ・ディ・カッチャ・ディ・ストゥピニージ
［住］Piazza Principe Amedeo 7, 10042, Stupinigi
［電］011. 3581220
［料］12ユーロ
［営］火曜～金曜10:00～17:30
（最終入場17:00）
土曜、日曜、祝日10:00～18:30
（最終入場18:00）
［休］月曜

ピエモンテのブドウ畑の景観：ランゲ＝ロエーロとモンフェッラート

2014年登録／文化遺産 ⅲ ⅴ

遠方に見えるのはバローロ村。バローロワインはルイ14世の食卓にしばしば上がっていた

ワインの王国

ピエモンテ州では、紀元前5世紀頃のワイン生産の痕跡が発見されているそうだ。当時、ここはエトルリア人とケルト人にとって貿易の地であり、実際、特にワインに関する言葉や現地の方言にはエトルリア語やケルト語が残っている。さらに、ローマ時代には博物学者プリニウスが「ピエモンテはイタリアでもっともブドウ栽培に適した地域の1つ」と紹介している。

このブドウ栽培地の大きさは約1万1000ヘクタールに及び、「バローロ村のあるランガ地区」「バルバレスコ村の丘陵地」「ニッツァ・モンフェッラートとバルベーラ」「カネッリ村とアスティ・スプマンテ」「モンフェッラートの『インフェルノット』」の5つの地区がある。名高いワインの生産地、そしてワイン製造の歴史と発展にとって象徴的な場所であり、その文化的な価値と美しい景観が認められ、世界遺産に登録された。

貴族の住まい「グリンザーネ・カヴール城」

5つのブドウ栽培地とともにグリンザーネ・カヴール城も世界遺産に登録されている。城はアルバの町から約5キロ離れたランガ地方の中でもっとも美しい景観の中に佇む。

グリンザーネ・カヴール城の持ち主はカヴール伯爵カミッロ・ベンソ。自身が市長を務めていた1832〜1849年の間、ここに住んでいた。城の中には家具、手稿、市長が使用する三色の飾り帯が保管されている。

この城を訪れると、驚いたことにカヴール伯爵自身が大邸宅を案内してくれる。実は、この人はフランコ・ウルバンという俳優なのだが、外見だけでなく、伯爵自身の政治家人生やプライベートに至るまで研究し尽くしており、まさに伯爵そのもの。イタリア王国の確立に貢献し、このエリアを偉大なワイン王国へと押し上げたカヴール伯爵を演じているので、一見の価値がある。

城には、ワイン博物館や州立エノテカ[※1]が設置されており、バローロなどの最高級ワインやピエモンテ州産のグラッパなどがガラスケースの中に展示されている。展示されているワインは販売されており、試飲も可能。

※1 州法をもとにした決議に基づき承認されたエノテカ（ワインの展示、販売、試飲を行う場所）

城の麓にはヨーロッパ最大のブドウ園の1つが広がる

イタリアで最初に設立された州立エノテカ

Castello Grinzane Cavour
（グリンザーネ・カヴール城）
カステッロ・グリンザーネ・カヴール

[住] Via Castello 5, 12060, Grinzane Cavour (CN)
[電] 0173.262159
[HP] www.castellogrinzane.com/
[料] 6ユーロ
（城と博物館の共通チケットのみ）
[営] 城　10:00～18:00
（最終入館は17:00）
博物館　10:00～18:00
（最終入館は17:30）
[休] 火曜

Patrimonio mondiale

11

20世紀の産業都市イヴレーア

2018年登録／文化遺産 ⅳ

オリヴェッティ本社

20世紀におけるイタリアの象徴

イヴレーアは伝統的なカーニバルとしてのオレンジ合戦や馬のパレードなどで有名な町である。1908年、ここにオリヴェッティ社が誕生した。

創業者カミッロ・オリヴェッティ社の息子アドリアーノには具体的なアイデアがあった。それは起業家と労働者、工業と都市の関係を見直し、ヒューマニズムに傾倒していた彼自身が描く人道的な理想の産業を求め、ユートピアを創ることだった。労働者の幸福とは、管理職から工員まですべての従業員が個人および家族のための基本的なサービスを自由に使用できる環境でのみ実現されると考えていたのだ。

20世紀において絶え間なく発展しつづけたオリヴェッティ社。新しい生産エリアの中心には、高い輝度を保証するリボン窓[※1]を備えた建物、1930年当時の最先端だった完全なガラス張りの130メートルの建物、デザイン性の高い従業員のための住居があるほか、女性の働きやすさを追求する理念のもと設けられた保育園は現在も使用されている。

※1 横長の窓、または横一列に連なる水平連続窓のこと。

Patrimonio mondiale

12

ポルトヴェーネレ、チンクエ・テッレと小島群（パルマリア島、ティーノ島、ティネット島）

1997年登録／文化遺産 ⅱ ⅳ ⅴ

垂直に建てられたカラフルな家々が特徴のリオマッジョーレ

人間と自然の完全なるインタラクティブ

リグーリア州の東側にあるリグーリア海岸、ちょうどチンクエ・テッレ（5つの村）とポルトヴェーネレの間は、息をのむほど美しい景観と文化的価値を持つ場所だ。村々は周囲の景観と完全に溶け込んでいて魅力的だが、小さな町の形は何世紀にもわたって人間の手が加えられ、急勾配で起伏が激しく不均衡な土地の欠点を見事に克服している。急斜面の岩を砕き、その石で作った壁がテラスを支えている。この石垣の総延長は6700キロもあるというのだから、驚きだ。

ポルトヴェーネレの町の正面にはパルマリア島、ティーノ島、ティネット島といった群島がある。これらすべての地域は、何千年もの間ずっと存在してきた伝統的なライフスタイルを示し、人間と自然が相互に影響し合って作り上げられた美しい景観の調和が認められ、世界遺産に登録された。

魅力的なチンクエ・テッレを旅する

ブドウ畑の広がるテラス、海を見下ろす家々、芸術と自然が完璧に融合する昔ながらの村々。静けさをオアシスとして探し求める詩人のためにあるかのような入り江。透明な水を求め、観光客の喧噪を避けてやって来る人々にとっての楽園。この美しさの秘密は、約15キロつづく海岸線にある。

チンクエ・テッレの崖は先史時代から存在していた。5つの村はその大峡谷や海に突き出た絶景の上につくられ、もっとも大きなモンテロッソ、素朴で絵のように美しいヴェルナッツァ、詩人ボッカッチョやカルドゥッチによって称賛されたワインで有名なコルニリア、巨大な岩の上に建つマナローラ、狭い谷間の中に食い込んだリオマッジョーレで構成されている。

海抜30メートルと非常に高いところの岩に刻まれた、海を見下ろす道を通ってマナローラとリオマッジョーレの人々はコミュニケーションをとっていた。それは「愛の小道」とよばれるほど、とても美しく、ロマンチックだ。

もっとも快適にチンクエ・テッレをまわるためにはチンクエ・テッレカードが用意されている。トレッキングを楽しみたい人にもおすすめ。

チンクエ・テッレの村は大峡谷や海に突き出た絶壁の上にあるため急な坂や階段が多い

群島をまわって、自然を楽しもう

ポルトヴェーネレと群島の3つの島々は、ポルトヴェーネレ州立自然公園の一部だ。世界遺産に登録されたこの場所では、見るべきところがたくさんあるが、まず見逃せないバイロン洞窟から始めよう。ラ・スペツィア湾は「詩人たちの入り江」ともよばれる。それはイギリス人男爵で詩人のバイロン卿がアルパイア洞窟を出発し、海を泳いで友人に会いに行ったといわれているからだ。

海洋保護区の海域ではダイビングやシュノーケリングをすることができ、ダンテの浅瀬、カーラ・グランデ、パレーテ・デル・ティィーノなどがおすすめ。

パルマリア島には青の洞窟、カーラ・グランデ、カレッタといった美しい洞窟が点在している。

海軍が所有するティーノ島は、基本的に訪問することは不可能である。ただし、9月13日の聖ヴェネーリオの日、年に一度だけ訪れることができる。蛮族の絶え間ない侵入によって、島は15世紀以降放置されてきたため、教会などの建物の痕跡はほとんどない。

ティネット島の東側の崖の上には6世紀頃に建てられた小さな教会跡が残り、修道士たちが暮らしていた独居房群や小さな礼拝堂がある。

リオマッジョーレのドゥオモ

海を見下ろす愛の小道は約1kmつづく

モンテロッソ駅

Cinque Terre Card
（チンクエ・テッレカード）

[HP] http://card.parconazionale5terre.it/en
[料] チンクエ・テッレ・トレッキング
大人：7.50ユーロ（1日券）、
14.50ユーロ（2日券）
チンクエ・テッレ・トレイン
大人：13ユーロ（1日券）、
23ユーロ（2日券）
※オンライン、または鉄道の各駅で販売
電車乗り放題、またはトレッキングルートへの入場料、その他、博物館への入場料などが含まれる

Patrimonio mondiale 13

ジェノヴァのレ・ストラーデ・ヌオーヴェとパラッツィ・デイ・ロッリ制度

1997年登録／文化遺産 ⅰ ⅱ ⅲ ⅳ

王宮にあるもっとも豪華な「鏡のギャラリー」

ストラーデ・ヌオーヴェとパラッツィ・デイ・ロッリ制度

ジェノヴァの中心地は、パラッツィ・デイ・ロッリ（目録に登録された宮殿群）が並ぶ、いわゆるストラーデ・ヌオーヴェ（新しい街路）とよばれる一帯に囲まれている。

ロッリとは目録という意味で、その誕生は1576年の法令で確認することができる。16世紀後半から17世紀の間、国家からの来賓の宿泊地として、貴族の住まいをはじめとする豪華な住居を厳選し、ロッリ（来賓館目録）に登録するという法が制定されたからだ。

海洋国家だったこの町が商業力と海軍のおかげで、その力がピークに達するのは16世紀だった。銀行家、船主、商人、貴族の資産が宮殿の建設に集中すると、美しさや偉大さはそのまま有形のものとなって、今日まで残ってきた。

現在の都市モデルである高貴な住宅計画は、公的機関が実施する都市開発においてヨーロッパで最初の例であり、かつ非常に大きな影響力をもち、適切に規制された公的な

大学宮殿

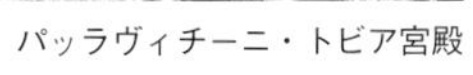

パッラヴィチーニ・トビア宮殿

もてなしという特殊性が認められ、世界遺産に登録された。

ガリバルディ通りからバルディ通りまでつづく貴族通り

ジェノヴァの中心で美しく広大なフェラーリ広場から、出発することにしよう。

水が華麗に噴き出す噴水の周りには、豪華な建物が並んでいる。この中で特に重要なのは、カルロ・フェリーチェ劇場と貴重な日本美術コレクションを所蔵するキオッソーネ美術館だろう。

しかし、もっとも目を引くのは、目を疑うほど大きく、華麗な証券取引所の建物で、まるで宮殿のようだ。ジェノヴァは現在の経済や保険システムが最初に誕生した町で、経済の最先端を行く町だったのだ。

10分ほど歩いたところで、ガリバルディ通りに到着。ガリバルディ通りとその先に繋がるバルビ通りを歩いていると、かつての華やかなジェノヴァの貴族社会へと時代が戻ったような気分になる。

これら2つの通りはストラーデ・ヌオーヴェとよばれ、16世紀半ばと17世紀初めに誕生した。中世の歴史地区を中心に高級住宅を分散させることを目的にした公共プロジェクトの1つであり、ある種の高貴な地区を形成するようになった。その後、現在のカイローリ通りであるストラーデ・ヌオヴィッシメ（さらに新しい街路）へと繋がり、そこには建築上の価値が高く、迎賓館目録に登録された宮殿が並ぶ。

まばゆいばかりの42の宮殿

国家からの高い身分をもつ来賓客をもてなすことを目的にロッリに登録された宮殿には、教皇や王、そのほか支配者といった人々がジェノヴァ共和国を公式訪問した際、宿泊した。最初の1軒目がロッリに登録されたのは1576年で、その後、4軒が続き、ロッリに登録された宮殿は、美しさと重要性に基づいて3つのカテゴリーに分けられた。

ユネスコの世界遺産リストには、ストラーデ・ヌオーヴェに沿って並ぶ42軒の宮殿が登録されている。まず、バルビ通り12番地にある王宮に入ると、大きく美しい庭園には漁師や羊飼い、ケンタウロスの姿を黒と白の小さな石で作り上げたモザイクの床が壮大で印象的だ。2つの大階段から2階へ上がると美しい庭を見下ろすことができ、遠くには海が見える。建物内には洗練された家具が配置され、特にヴェロネーゼの間や鏡のギャラリーが群を抜いて豪華だ。

そのほか、有名なのは外交官ルカ・グリマルディの邸宅だった白の宮殿や、政治家ジョヴァンニ・フランチェスコ・ブリニョル・サレ兄弟の邸宅だった赤の宮殿。現在は、両方とも博物館になっている。

パラッツィ・デイ・ロッリをめぐる旅は、ヨーロッパ最大の歴史地区を訪れることで、ジェノヴァが人類の宝を保護する町であることを知る機会を与えてくれる。

赤の宮殿

白の宮殿

鷹狩、生きた人類の遺産

2012年、2016年(拡張)登録/無形文化遺産

スフォルツァ家やゴンザーガ家の王宮でも鷹狩が大成功を収めていた

古代の狩猟システム

狩猟はフランスやスペインなどの国々ではすでに世界遺産に登録されていたが、狩猟のための鷹やその他の猛禽類を使用する古代の習慣へと内容が広げられたことから、登録国はモンゴルやカザフスタンなどを含む18か国に拡大された。

鷹狩の起源は4500年前まで遡り、ローマ帝国時代には各地に広まっていたと考えられている。現在、イタリアでは鷹狩は規制されており、許可を得た場合のみの狩猟手段となっている。

神聖ローマ帝国のフリードリヒ2世の肖像画には、獲物を捕らえる獰猛な鳥が描かれている。これこそが鷹。中世以降、イタリアで行われてきた鷹狩は、狩猟システムとして生まれた。中世における鷹狩の貴重な証言は彼の2冊の著書にあり、当時の慣習が記されている。彼は、訓練された鳥を使って行う狩猟という芸術に関して正しい知識を広めたいと願い、約30年にわたって執筆した。ちなみに、著書の短編の生原稿はバチカン図書館に、長編はオーストリア国立図書館で保管されている。

ヴィチェンツァ市街とヴェネト地方のパッラーディオのヴィッラ

1994年、1996年（拡張）／文化遺産 ⓘ ⓘⓘ

シニョーリ広場にある公会堂、バジリカ・パッラディアーナ

パッラーディオの町

紀元前2世紀、ローマ帝国に併合されたヴェネト州の古い町ヴィチェンツァ。15世紀初頭から18世紀末まで、とりわけ、ヴェネツィア共和国の下で繁栄した。ここは、多くの美しい建物を建てた天才建築家パッラーディオの町として知られている。彼は事実、古典的なローマ式建築の研究を重ね、そこに独自の技法を加えており、それらの作品は非常にユニークな外観をみせる。パッラーディオの手がけた建物は、ヴェネト州の地域全体に点在しており、これらの建物がイギリスや他のヨーロッパ諸国、また北アメリカに影響を与えたことにより、新たなるパッラーディオ主義として知られる建築様式を築いた。

町の歴史地区にある23の建物と、町の中心を囲っていた城壁の外にある3つのヴィラを含む彼の作品は、人間が創造する天才的なまでの傑作であると認められ、世界遺産に登録された。

天才建築家アンドレア・パッラーディオ

元々石工だったパッラーディオは、すぐにヴェネト州におけるエリート建築家への道を駆け上がり、1570年にはヴェネツィア共和国の公式建築家に任命された。彼の作品の特徴は、ローマ建築の研究による古典的で優美な様式を兼ね備えていることで、当時の建築歴史において革新的だった。優雅で美しいフォルムの背景には建物の機能性と彼が表現したい理想への絶え間ない追求があった。

大理石に見える彫像も実は木でできている

オリンピコ劇場は世界初の屋内劇場

オリンピコ劇場

パッラーディオの代表的な建物に出会うためには、歴史地区を歩き、町の中心部となるシニョーリ広場に向かう必要がある。ここには1546～1614年の間に建てられたバジリカがある。

歴史地区の東端、人里離れたところにはパッラーディオの最後の作品「オリンピコ劇場」がある。パッラーディオは1580年、建設工事が始まった直後に亡くなったため、舞台の背景画家ヴィンチェンツォ・スカモッツィが後を引き継いで完成させた。

古代ローマの劇場を表現するために建てられた劇場は、古代都市テーバイ[※1]の街並みをスタッコと木を用いて完璧な遠近法で描いた舞台のある豪華な2階建て。半楕円形の客席には、約400人の観客を収容することができる。

これが非常に大きな成功を収め、全イタリア、全ヨーロッパの人々がこの劇場を羨んだ。マントヴァ公国の僭主ゴンザーガ家が、サッビオネータの中心にアテネをイメージした劇場を必要としたとき、彼はスカモッツィをよび、ヴィチェンツァにあるオリンピコ劇場と同じものを建てるよ

遠近法によって大きく見える舞台の実際の奥行は12m

うに命じたほどだ。

1786年、ドイツの偉大な詩人ゲーテがヴィチェンツァの町を訪れたとき、すぐにオリンピコ劇場に行き、「表現できない美しさ」と述べたという。また、ナポレオンはオリンピコ劇場に入るやいなや、衝撃を受け、「ここは……。我々はギリシャにいる！」と叫んだ。

オリンピコ劇場は、壊れやすい構造物の損傷を避けるため、冷暖房システムはないが、春と秋になると演劇やコンサートが開催され、今でも劇場として使用されている。

※1 古代ギリシャにあった都市国家の1つで、ミケーネ文明期の遺跡が見つかっている。

Teatro Olimpico
(オリンピコ劇場)
テアトロ・オリンピコ

[住] Piazza Matteotti 11, 36100, Vicenza
[電] 0444. 320854
[HP] www.teatrolimpicovicenza.it/
[料] 11ユーロ
[営] 夏季(7/1 ～ 8/31)：10：00 ～ 18：00
(最終入場17：30)
冬季(9/1 ～ 6/30)：9：00 ～ 17：00
(最終入場16：30)
[休] 月曜、12/25、1/1

Patrimonio mondiale
16

コネリアーノとヴァルドッビアーデネのプロセッコ栽培丘陵群

2019年登録／文化遺産 ⓥ

プロセッコのブドウ畑を見下ろすサン・サルヴァトーレ城

フルーティーで、少しドライな風味が特徴

伝統と革新のバランス

山の斜面を埋め尽くすように広がるプロセッコのブドウ畑と、近くにある村落を含めた景観が世界遺産に登録された。険しい丘陵地は人々が絶え間なく何世紀も手を加えつづけ、すばらしいブドウ、ワインを生み出す現在の形へと変貌を遂げた。

プリニウスが[※1]「博物誌」において、このブドウを「まったく美味しいと思わない」と言い、それが現在のプロセッコに似ていないにしても、地元の愛好家はプロセッコの祖先といわれるプチヌムがこの地域で生産されていたワインで、かつローマ人が好んで飲み、称賛したという話をするのが好きだ。

コネリアーノの優れたワインの産地としての評判は10世紀頃の文書において、すでに記されている。また1606年に記された報告書には、法外と思われるほどの金額で、ドイツやポーランドのバイヤーと国際取引をした証拠が残っているという。

※1 ガイウス・プリニウス・セクンドゥス（23－79）…古代ローマの軍人、博物学者、政治家。77年に自然現象を中心に記した古代の科学知識の集大成『博物誌』を著した。

scopri di più

天才建築家パッラーディオの橋がかかる町「バッサーノ・デル・グラッパ」

Grapperia Nardini（グラッパ屋 ナルディーニ）

ガラッペリア・ナルディーニ

[住] Ponte Vecchio 2, 36061, Bassano del Grappa
[電] 0424.227741
[HP] nardini.it
[営] 8:30～20:30
[休] なし

小さなグラスに入った琥珀色に輝くグラッパを2ユーロ20セントで味わえる

町の名前はグラッパの生産地だからではなく、グラッパ山の麓にあるためバッサーノ（麓）・デル・グラッパと名付けられた。

ブレンタ川の上にある橋は、第一次世界大戦時、ここが山岳兵（アルピーニ）の拠点だったためアルピーニ橋と呼ばれている。もともと、1209年に架けられ、何度も洪水や戦争で損壊し、1569年、パッラーディオが新たに設計した。その後も損壊と再建を繰り返し、現在の橋がもっともパッラーディオ作のオリジナルに近い。この橋が有名なのはイタリアでもっとも損壊と再建を繰り返したからで、過去に最低8回は再建している。

橋の上からは、静かで穏やかなブレンタ川と、雄大な山々を眺めることができ、そののどかな風景は絵葉書のように美しく、思わず立ち止まってしまう。奥の方に見える壮大な山は、グラッパ山とチーズの名前にもなっているアジアーゴ高原だ。

橋の麓には、アルピーニ博物館。その向かいに1799年創業、ナルディーニ社のグラッパ屋がある。かつてアルピーニたちはイタリアを救うため、ここでグラッパを飲み、歌いながら橋を渡って険しいアルプスの戦地へ向かった。激闘を繰り広げて祖国を守ったアルピーニは、イタリアでは英雄的存在で、この町には彼らにまつわるモニュメントがあちこちにある。

とても小さな町ではあるが、13世紀に造られた城壁の一部が現在も残っている。数ある邸宅の中でも、注目すべきはアンガラーノ館で、1996年、世界遺産に登録されている。

scopri di più

チェスの町、マロスティカ

マロスティカではチェス盤となった広場で、ある物語をもとに中世の衣装を身に着けた人が駒となった人間チェスが2年ごとに行われる。

中世を舞台にしたこの物語は、「1464年、2人の貴族リナルド・ダンガラーノとヴィエーリ・ダ・ヴァッロナーラがマロスティカの城主の美しい娘リオノーラに恋をして、決闘に臨むことになった。しかし、この類の戦いはヴェネツィア共和国によって禁じられていたので、娘の父親は鎧を身に着けた人間を駒にした人間チェスで戦わせることにした」というものである。

人間チェスが行われる当日は、中世の衣装、馬、武装した男、旗手など600人以上の人物が2人の挑戦を象徴するチェスを行い、物語を再現している。

物語では、チェスの勝者がもっとも切望した賞品は城主の娘だった。そして、気になる勝者だが、ヴィエーリが勝った。敗者のリナルドは城主の娘リオノーラの妹オルドラーダと結婚し、2人は親戚になったとのことだ。

Partita a scacchi di Marostica a personaggi viventi
（マロスティカの人間チェスゲーム）
パルティータ・ア・スカッキ・ディ・マロスティカ・ア・ペルソナッジ・ヴィヴェンティ

URL：www.marosticascacchi.it/
次回開催予定：2020年9月11日（金）21時～
2020年9月12日（土）21時～
2020年9月13日（日）17時～、21時～
料金：15 ～ 80ユーロ
チケット予約：オンラインからwww.vivaticket.it
またはwww.ticketone.it
電話から0424. 72127
FAXから0424. 72800
メールからinfo@marosticascacchi.it

Patrimonio mondiale

17

ヴェネツィアとその潟

1987年登録／文化遺産 i ii iii iv v vi

長さ3.5kmの運河沿いには世界的に有名な教会や宮殿が建つ

陸と海の間における奇跡

ヴェネツィアの町は118の群島の上に広がる。島と島は橋で繋がれ、美しい家々は水の中に杭を差し込み、その上に木の台を置き、石のブロックを積み上げて建てられている。

ヴェネツィアが500平方キロメートルもある潟による貧困と泥から最高の文明と富を引き出すことができたのは、他民族の侵入から逃れてきたヴェネト州の人々が他の町へ移住もせず、自然に対抗しながら苦しみに耐え、強い意志をもって、とんでもない生活をすると決断したことから始まっている。陸と海の間にあるヴェネツィアは管理と保護が非常に困難な場所だ。閉鎖された海の端に位置し、定期的に潟の水位が上がる現象により、町は冠水する。

人間の居住地と文化を代表する領土の類まれな例として、6つの登録基準すべてを満たし、1987年、世界遺産に登録された。

町そのものが建築の最高傑作

ヴェネツィアの旅は、サンタ・ルチア駅から始まる。駅を出ると、すぐ目の前に現れるのがカナル・グランデ（大運河）。この壮大な運河は、町の中を大きなS字型のカーブを描いて流れている。長さ3800メートル、幅30～70メートルの運河沿いには、13～18世紀にかけて建てられた世界的に有名な教会や豪華な宮殿が途切れることなく並ぶ。運河を水上バスやゴンドラが行き交い、その光景は生き生きとして、にぎわっている。ボートやゴンドラが交差する運河は150あり、町と町を結ぶ橋は400以上もある。

運河を走っていくと、ヴェネツィアの象徴の1つであるリアルト橋[※1]が目の前に見える。リアルト橋からそう遠くないところには、冒険家マルコ・ポーロの生家がある。

ヴェネツィアでは喧噪から離れ、時計の呪縛から自分を解放した方がいい。目的地のない通りを歩き回って、迷子になることを恐れずに目の前に開ける路地、広場を進もう。そこで初めて、観光客向けでないこの神秘な町の本当の姿が見えてくる。

建物が並ぶ路地はカッリ（小路）またはルーゲ（シワ）とよばれ、ヴェネツィアの特徴ともいえる狭い道の多さや、複雑に入り組んだ路地を表している。

美しい広場の中央に井戸がある。その周りを囲む家は静まり返っている。テラスには溢れんばかりのゼラニウムの

サン・マルコ時計塔

リアルト橋

ヴェネツィアの通りはリオ（小運河）とよばれる

ゴンドラ制作には約1年を要し、280の部品を組み立てて造られる

花が咲き、ヴェネツィアでは小さな建築物さえ、ティツィアーノやヴェロネーゼといった有名な画家やそのほかの偉大な芸術家がかかわっている。いったい、ヴェネツィアは、どれだけの画家や詩人を魅了してきたのだろう？

※1　1591年、アントニオ・ポンテが建設した橋で、3つの歩行者通路で構成された石造りのアーチが美しい。

ゴンドラの由来

ゴンドラとは、ギリシャ語の「コンディス」から派生したもので、「貝」を意味する。実際、その優雅な凹の形状で有名なヴェネツィアのゴンドラは貝のように見える。

1562年、元老院の命令で、ゴンドラは真っ黒に塗るように要求されたが、それ以前のゴンドラは豪華な布をまとい、鮮やかな色で塗られ、非常にカラフルだったとか。

ゴンドラの細長い形は、1つのオールで船尾から押すゴンドリエーレ（船頭）によって、狭い運河でも簡単に滑り込むことが可能だ。唯一の危険といえば、他のゴンドラとの衝突。実際、河川と河川の間にある交差点で頻繁にニアミスが起きている。この場合、ゴンドリエーレが「右に止まれ！」または相手を先に通すために「真っすぐ進め！」などと特徴的な叫び声をあげて、事故を防いでいる。

ミステリアスな仮面

ヴェネツィアのカーニバルは、世界でもっとも壮大なスケールでないにしても、世界一、有名だと思う。

カーニバルとは、四旬節[※2]から始まる食事の節制に向けて、最後に飲めや食えやのお祭り騒ぎで、羽目を外そうというものである。

仮面の歴史は1268年にまで遡り、昔は祝日、その他公式の宴会などでも使用されていた

11世紀、ヴェネツィアで生まれた仮面舞踏会はローマの支配社会に似た要素があり、このカーニバルが下層階級を活気づけた。顔に仮面をつけた富裕層を公の場で騙したり、からかうことができるというのは、上流階級を得たのと似た感覚を覚えさせる。当時、社会的緊張を管理し、はけ口とするには非常に有効だったようだ。

現在、カーニバル最後の週末にはもっとも美しい仮面を競うコンテスト[※3]が行われる。豪華な衣装を身に着けた人々がファッションショーのように次々と現れ、有名なデザイナーたちによって創造性や創意工夫が、審査される。

中世の衣装を身にまとった人々が行き交い、優雅な陶酔感が狭い通りの間をさまよう。町は過ぎ去った時代の謎とミステリアスな雰囲気を残し、まるで自分が異世界に迷い込んだような気分になる。

※2 イースターの40日前の水曜日からイースターの前日となる土曜日までの期間のことで、この期間に肉を食べない、または質素なものにするなどの慣習があった。

※3 「La Maschera più bella」とよばれ、最終2日間は子供のためのコンテストに充てられる。

Patrimonio mondiale
18

パドヴァの植物園

1997年登録／文化遺産 ⅱ ⅲ

樹齢およそ400年の「ゲーテのヤシ」

パドヴァの町には、足りないものが3つ

パドヴァの町にあるプラート・デッラ・ヴァッレは、面積約90平方メートル、イタリアでもっとも大きく、ヨーロッパで2番目に大きな広場だ。かつて、牛の売買を行うプラート（草原）だった。

広場の中心にある約20平方メートルの楕円形のスペースは、設計者である建築家アンドレア・メンモの名前からメンミーア島とよばれる。メンミーア島を囲むようにパドヴァ出身の著名人像が78体並んでいるが、オリジナルの図面には88体描かれていた。

パドヴァの人々の間では「パドヴァの町には『扉がない』『草のない広場』『名前のない聖人』」と3つのものが欠けているというフレーズが有名。

1つ目は、1831年創業の老舗バール「カフェ・ペドロッキ」のことで、1916年から昼夜問わず営業しているため、「扉のないバール」と呼ばれている。

2つ目は、「プラート・デッラ・

草のない「草原広場」

ヴァッレ」のことで、名前は草原広場なのに草原がない。

3つ目は、パドヴァの町の守護聖人アントニオ。パドヴァの人々は、サンタントニオ聖堂の名前を呼ぶとき、「サント（聖人）」とのみ呼ぶことから、名前のない聖人と言われている。

世界最古の植物園

パドヴァ大学の設立は1222年で、ヨーロッパ最古の1088年設立のボローニャ大学につづき、イタリアで2番目に古い。この歴史ある大学に付属植物園を構想したのは、パドヴァ大学のボナフェーデ教授。1545年、サンタ・ジェスティーナ修道院の農地に庭園を作ったのが始まりで、もともと薬学部の学生のための庭だった。


植物園建設計画の原型はダニエーレ・バルバロ氏に委託されたが、彼はパドヴァ大学の学生だ。バルバロはマゼール市にある自分の邸宅の再建築を建築家パッラーディオに依頼しており、彼の邸宅は世界遺産に登録されている。

1545年の設立以降、植物園では現在もルネサンス様式の建物や植物の保存、管理、そして数々の実験が行われ、かつてはヨーロッパで初めてヒマワリの開花に成功、イタリアで初めてジャガイモの栽培も行った。現存する古い植物の数々とその信用度は、もはや植物園というより研究機関。その上、1700年代の門、1800年代の温室もあり、建築の観点からも非常に重要な植物園だ。

開園当初、ヴェネツィア商人のおかげで、外国の珍しい植物が次々と持ち込まれた。今や薬用植物、虫除け植物、地中海やアルプスといった様々な地域に生息する植物が展示されており、世界最古の植物園は、常に植物学の代名詞的存在だ。

植物園を散策

植物園は円形壁の中に十字を描くように道がつけられた

パドヴァ市の代名詞でもある「カフェ・ペドロッキ」

ペドロッキのコーヒーは大きめのカップに泡立てたミントクリームが入っており、カカオパウダーがかかっている

Caffé Pedrocchi（ペドロッキ）
カフェ・ペドロッキ
［住］Via VIII Febbraio 15, 35122, Padova
［電］049. 8781231
［HP］www.caffepedrocchi.it
［営］8:00〜0:00（金・土曜〜翌1:00）
［休］なし

造りになっている。植物園を囲む壁は1552年、断続的に起きていた植物の窃盗を防ぐために建てられた。この壁をホルトゥス・チントゥス（ホルトゥス：菜園、チントゥス：取り囲まれた）とよぶ。1600〜1700年にかけて、植物園を拡大し、現在、壁の外にも様々な植物を展示している。特に木々が多く、壁の外側のスペースをアーボレータム（樹木園）とよぶ。

アーボレータムを歩き、まず目にする興味深い木は、1680年に植樹されたスズカケの木。木の幹に8メートルという大きな穴が開いている。これは、雷が落ちて穴が開いてしまったのだとか。その他、2700年以上前の半化石化したオーの幹もある。

ホルトゥス・チントゥスの中にある十字の交差点には、様々な種類のハスを栽培している槽がある。ここから北西の方向に、1750年に植樹された全長約18メートルのイチョウの木がある。1850年頃、オスのイチョウの木が、近くに植えられたメスのイチョウの木と交わって成長し、一本の木になったものだ。南の方向には、常緑のタイサンボクがあり、これはヨーロッパでもっとも古い木の1つ。

北の方向に大きなガラスの温室が見える。中にはガラス窓からはち切れんばかりに成長したヤシの木があり、植物園でもっとも古い木だ。1786年、ゲーテがイタリアを旅した際に、この植物園で研究と観察を重ね、後に執筆した「自然変態論」の基礎になったことから、「ゲーテのヤシ」とよばれている。

子供2人が入れるほど大きな穴の開いたスズカケの木

Orto Botanico di Padova
（パドヴァ植物園）
オルト・ボタニコ・ディ・パドヴァ

[住] Via Orto Botanico 15, 35123, Padova
[電] 049. 8273939
[HP] www.ortobotanicopd.it
[料] 10ユーロ
[営] 9：00〜17：00
[休] 日曜

scopri di più

聖アントニオの奇跡

Basilica di sant' Antonio da Padova
（サンタントニオ・ダ・パドヴァ聖堂）
バジリカ・ディ・サンタントニオ・ダ・パドヴァ

［住］Piazza del Santo 11, 35123, Padova
［電］049. 8225652
［HP］www.santantonio.org/en
［料］無料
［営］夏季(4/3〜10/28) 6:20〜19:45
冬季(10/29 〜 3/24) 6:20〜18:45
(土・日曜〜19:45)

昔、善や平和を説く謙虚な修道士がいたが、でたらめを言う奴としか思われていなかった。

誰も耳を傾けないのに、この修道士は何をしていたのだろう？

マレッキア川の岸辺で、魚に教えを説いていた。すると、たくさんの魚が寄ってきて、水面から顔を出し、説法を聞いている！この話が町中に広がり、人々は奇跡だと信じて、修道士の話に耳を傾けるようになった。

さらに、この修道士が教えを説いていると、ホスチアを前にロバがひざまずいている！ついに人々はこの奇跡を信じ、むしろ自分たちを恥じた。

この修道士こそが、聖アントニオ。ポルトガル人の彼はアッシジでフランチェスコに会うと深く心を動かされ、イタリアに一生残ることを決意した。

フランチェスコの死後、人気のないパドヴァ郊外へ移住。晩年、パドヴァの町に戻ることを夢見ていたが、アントニオの死はパドヴァからほんの少し離れたアルチェッラの町へ向かう途中でやってきた。1231年1月13日、36歳という若さだった。

アントニオの遺体は、人々の手に抱えられてパドヴァへ移され、深い悲しみに打ちひしがれる群衆で広場も通りもあふれ、行列になったという。

死の翌年、アントニオは聖人になった。その32年後、パドヴァの人々は彼に対する深い想いから、聖堂を建て、サント（聖人）とよんだ。その聖堂は何世紀も経った今でも、サントとよばれ、世界中から多くの巡礼者がやって来る。

Patrimonio mondiale 19

ヴェローナ市街

2000年登録／文化遺産 ⅱ ⅳ

サン・ピエトロ城から見渡すヴェローナの町

ロミオとジュリエットだけじゃない！

ブラ広場の中央には美しい庭があり、それを囲むように1800年代の建物が並ぶ。

大英博物館によく似た建物はバルビエリ宮で、ヴェローナの市庁舎。アレーナとよばれる円形劇場は西暦30年に建てられた古代ローマ時代の円形劇場の1つ。噂では、アレーナからヴェローナ市郊外にあるモントリオ城へと地下道で繋がっており、かつて、観客からのブーイングや取り囲まれた際、演者が逃げるときに使用していたそうだ。

見どころ満載の中心地

カヴール通りはかつてパーリオ（馬の競技）のゴール地点だった。美しく気品のある建物が立ち並び、その1つがヴェローナ出身の建築家によって建てられたベヴィラックア邸。その先にあるボルサーリ門では、中世、関税の徴収をしていた。

大きくて真っ白なテントで埋め尽くされたエルバ広場には、市場が立ち並んでいる。実は中世の頃から毎日、休むことなく脈々と、この市場は営まれている。テントとテントの間に見えるのは、サン・マルコの円柱とマドンナ・ヴェローナの噴水。広場は魅力的な家々に囲まれており、ガルデッロの塔の隣にある立派なマッフェイ邸、1300年代に建てられたカーザ・ディ・メルカンティ、ランベルティの塔、その他1500年代のフレスコ画が描かれたマッザンティ屋敷など、見どころは満載。

エルバ広場の市場

コスタ門の上にクジラの肋骨がぶら下がっている謎

シニョーリ広場に出ると、コスタ門がある。門のアーチに何かぶら下がっている。これは、くじらの肋骨といわれているが、恐竜の骨ともいわれている。

コスタ門

コスタ門はドムス・ノヴァとラジョーネ宮の間にあり、2つの建物をつなぐ石のアーチ。ドムス・ノヴァは判事たちの住居で、かつて判事が裁判所（ラジョーネ宮）に行くために、渡り廊下としてこのアーチの上を渡っていた。このアーチにコスタ（肋骨）がぶら下がっていることから、コスタ門と呼ばれるようになった。

この骨は、少なくとも17世紀半ばには、すでにここに吊るされていたという。なぜここに骨が吊るされているのか謎だが、3つの仮説がある。

1つ目は、ヴェローナの十字軍が聖地から持ち帰り、何かの祈りを込めて吊るしたという説。ヴェローナのドゥオモが、酷似した骨を所有しており、納得だ。

2つ目は、ヴェローナ付近の山で発見されたひどく恐ろしい生き物の骨と思われ、町の中心に置くことでお守りのような役目を担っていたという説。

3つ目は、このアーチの下にあった薬屋が店の宣伝目的で吊るしたという説で、もっとも信憑性が高い。薬屋のあったところには、現在も薬局があり、骨の所有者は薬局の店主なのかもしれない。

このアーチには、いくつか言い伝えがあり、正義に満ちた人が通ると骨が落ちてくるとか、嘘をついたことのある人の上に落ちる、などいわれている。

だけど、やっぱり「ロミオとジュリエット」

カッペッロ通り23番地にジュリエットの家がある。1200年代の建物で1935年にアントニオ・アヴェーナによって修復工事が行われた。敷地内に入ると、正面にジュリエット像がある。彼女の右胸を触ると幸せになれるといわれており、右胸だけが神々しいほど光っている。上を見上げると、ジュリエットが顔を出し、ロミオと会話を楽しんでいた有名なバルコニーがある。

ジュリエット宛に手紙を出すと、返事が返ってくる。もちろん、ジュリエット本人ではなく、ジュリエットクラブとよばれる団体からだ。エットーレ・ソリマーニ氏がジュリエットのお墓を修復していたところ、お墓に若い夫婦が手紙を残していったのが最初で、そこから観光客が手紙を置いていくようになったという。それにエットーレ氏がジュリエットを装って返事を書いたのが始まりである。

現在、ジュリエットクラブには年間5万通の手紙が届くそうだ。手紙は郵便でもメールでも受け付けていて、1年に1回、もっともロマンチックな手紙には「カーラ・ジュリエッタ賞（親愛なるジュリエットへ賞）」が与えられる。

人々にはあまり知られていないが、アルケ・スカリジェレ通り2番地と4番地にある1300年代の建物は、ロミオの家である。

ところで、ロミオとジュリエットは実話なのかと疑問がわく。ロミオとジュリエットは実在した人物である。ロミオのモンタギュー家は皇帝派で、ジュリエットのキャピュレット家は教皇派だったこと[※1]から、両家は血をみるようないがみ合いを続けていた。シェークスピアはこれを知り、両家をモデルに小説「ロミオとジュリエット」を書いたが、実際はイタリアに来たことはなかったともいわれている。

※1 皇帝党（ギベッリーニ党）と教皇党（グエルフィ党）…12～13世紀、イタリアに出現した、神聖ローマ皇帝派とローマ教皇派という対立する2つの党派、またそれぞれを支持した町や貴族を指す。

シェークスピアの世界

ヴェローナの町を出て、車で2時間弱のところにモンテッキオ・マッジョーレという小さな町がある。この町のはずれにある小さな丘の上に2つの城がある。１３５４年に建てられたヴィッラ城はモンタギュー家が所有していたもので、ロミオの城として有名である。一方、ベッラグアルディア城はジュリエットの城で、２つの城はわずか５００メートルほどしか離れておらず、ジュリエットの城からはロミオの城を見渡すことができる。２人はお互いの城を見ながらお互いに想いを寄せていたのかもしれない。

ジュリエットの家。ジュリエット像の斜め上に見えるのは有名なバルコニー

恋人の町「ヴェローナ」

ロミオの家の近くにある小さな尖塔のついた礼拝堂のような建物はスカリジェレ家[※2]のお墓。ヴェローナを素晴らしい町に発展させた夫妻のお墓にふさわしい。もう少し進むと見えるのは、サンタ・アナスターシア聖堂。13～15世紀に建てられた聖堂の正面は未完成のままだ。

アディジェ川に沿って歩き、ピエトラ橋を渡る。目の

アディジェ川からみたサンタ・アナスターシア聖堂

前に現れる急な階段を上がると、サン・ピエトロ城に着く。その展望台から、川に囲まれたヴェローナの町をすべて見渡すことができる。日が暮れはじめる頃、夕焼けでオレンジ色になったヴェローナの町と、それを水面に映すアディジェ川がロマンチック。

アディジェ川に沿って、駅のほうへ歩を進める。ポンティエレ通りを進むと、回廊付きの中庭をもつ小さな修道院がある。中庭の奥に小さな教会があり、ここでロミオとジュリエットが密かに結婚式を挙げたといわれている。ここから地下聖堂まで続く階段があり、そこに置かれている石棺はジュリエットのお墓である。

※2 1262年～1687年、ヴェローナの街を統治した一家。

ピエトロ橋

ジュリエットのお墓

La casa di Giulietta
（ジュリエットの家）
ラ・カーサ・ディ・ジュリエッタ

［住］Via Cappello 23, 37121, Verona
［電］045. 8062652
［HP］www.casadigiulietta.comune.verona.it
［料］6ユーロ（ジュリエットのお墓とセットの場合は7ユーロ）※10月から5月まで第1日曜は入場料1ユーロ
［営］8:00～19:30（月曜13:00～）（最終入館18:45）
［休］1/1の午前中、12/25

La casa di Romeo
（ロミオの家）
ラ・カーザ・ディ・ロメオ

［住］Via Arche Scaligere 2, 37121, Verona

ジュリエットへの手紙　宛先

［住］「CLUB DI GIULIETTA」
Corso Santa Anastasia29,37121, Verona, Italia
［メールアドレス］dearjuliet@julietclub.com
※直接、投函する場合：「ジュリエットの家」または「ジュリエットクラブ」Corso Anastasia 29にあるポストへ。

Tomba di Giulietta
（ジュリエットのお墓）
トンバ・ディ・ジュリエッタ

［住］Via Luigi da Porto 5, 37122, Verona
［電］045. 8000361
［料］4ユーロ50セント
［営］8:30～19:30（月曜11:30～）（最終入館18:30）

Arena（アレーナ）

［住］Piazza Bra 1, 37121, Verona
［電］045. 8005151
［料］10ユーロ（7歳以下は無料）
※10月から5月まで第1日曜は入場料1ユーロ）
※オペラ鑑賞での入場の場合は、オペラの演目や席の位置より値段が変わる
［営］8:30～19:30
［休］月曜（10月～5月のみ）

Duomo（ドゥオモ）
ドゥオーモ

［住］Piazza Vescovado, 37121, Verona
［電］045. 592813　［料］3ユーロ

Basilica di San Zeno
（サン・ゼーノ聖堂）
バジリカ・ディ・サン・ゼーノ

［住］Piazza San Zeno 2, 37123, Verona
［電］045. 8006120　［料］3ユーロ

Basilica di Sant' Anastasia
（サンタナスターシア聖堂）
バジリカ・ディ・サンタナスターシア

［住］Via Don Bassi 2, 37121, Verona
［電］045. 592813　［料］3ユーロ

Patrimonio mondiale
20

アルプス山脈周辺の先史時代の杭上住居群

博物館では発見された遺物のほか、杭打ち跡を見ることができる

レドロ湖にある杭上住居遺跡には1万本以上の杭が残っている

Museo delle Palafitte del Lago di Ledro
（レドロ湖の杭上住居博物館）
ムゼオ・デッレ・パラフィッテ・デル・ラーゴ・ディ・レドロ

［住］Via al Lago 1, 38067, Ledro loc, Trento
［電］0464. 508182
［HP］www.palafitteledro.it/
［料］3ユーロ50セント
［営］9:00～17:00（7月・8月は10:00～18:00）
［休］12月～2月

古代人の家

約1000の場所において杭上住居111棟がイタリア周辺の6つの国の領土に広がっている。これらの住居は紀元前5000年から紀元前500年における先史時代の遺跡の中にあり、住居の一部が優れた状態で残っているのは、湖や川の堤防といった泥炭地の上に建てられていたからである。

イタリアではピエモンテ州からフリウリ・ヴェネツィア・ジュリア州まで続くアルプス山脈に沿って点在しており、合計19の遺跡が発見されているが、特に杭上住居が集中しているのはガルダ湖付近で、ここだけで30以上の住居が湖畔や、湖底からも見つかっている。

アルプス山脈周辺にある杭上住居は、ヨーロッパでもっとも古い農民社会の貴重な情報源でもある。古代人が残した様々な材料や道具、食べ物、工具、衣類などが、私たちに先史時代の暮らしぶりをより深く教えてくれる。彼らは小麦やブドウを栽培していた。布の織り方も知っていた。さらに狩猟だけでなく森で羊やヤギを飼育し、たんぱく質の必要性も理解していたと考えられているというから驚きだ。

ドロミーティ

2009年登録/自然遺産 ⓥⓘⓘ ⓥⓘⓘⓘ

プローゼではトレッキングしながら、ドロミーティが一望できる

圧倒的な自然の魅力

標高3000メートルにも及ぶ山を含んだドロミーティは、9つの地域に分かれている。その中にはたくさんの町があり、ドロミーティの総面積は14万2000ヘクタール。山間部のボルツァーノやベッルーノ、ボルデノーネ、ウーディネといった県には谷や峠が点在していて、その面積は8万5000ヘクタールある。ドロミーティには世界で唯一無二の自然景観をもつ美しい町々があり、山の急斜面、尖った山頂、粘土質の特殊な土質、氷に覆われた台地、透明な水をもつ湖や渓流といった格別な自然の美しさとともに地形学における価値が認められ、世界遺産に登録された。

ドロミーティという名前はフランス人地質学者デオダ・ドゥ・ドロミューから名づけられた。このアルプスの大半を構成している特殊な石灰岩である苦灰石を発見した人物である。

ドロミーティの起源は、古代の海洋環境と結びついており、ペルム紀とトライアス紀に起きた地殻変動の過程で、これらの山へと変化した。ドロミーティの山々を散策していると、地球上の歴史があちこちに記されており、私たちを想像

フネス谷の奥にあるサンタ・マッダレーナ村から見たガイスラー山群

もできない未知の冒険へと導いてくれる。

山に多く生息する動物や植物は、その希少性と多様性が有名で、のどかな土地はこれらの希少な動植物の生息地でもある。アルプスアイベックスやカモシカのほか、キツネ、ヒグマなどが森や谷に棲んでいる。ドロミーティは生物学者、地質学者にとってわくわくするような野外研究室のようなものだが、一方でヨーロッパの神話に由来する伝説的なイメージも持つ。イタリアではモンテ・パッリーディ(淡色の山々)とも呼ばれ、この名前は、月の光で浮かび上がるなだらかな山の斜面にある岩の色からきている。空が澄んだ日は、特に日が沈む頃、山の頂上がオレンジのような赤色に輝き、素晴らしいと思う感情が抑えきれない。

「サンタ・マッダレーナ村(Santa Maddalena)への行き方」
ブレッサノーネ駅(Bressanone/Brixen)からバス340番で「Sant Maddalena(サンタ・マッダレーナ)」で下車

「プローゼ(Plose)への行き方」
ブレッサノーネ駅(Bressanone/Brixen)からバス321番で「Cabinovia Plose(プローゼ・ロープウェイ乗り場)」で下車
問い合わせ先:
[住] Sant.Andrea, Bressanone
[電] 0039. 0472 200433
[HP] www.plose.org/en/
[メール] info@plose.org

Patrimonio mondiale
22

アクイレイアの遺跡地域と総大司教座聖堂のバシリカ

1998年登録／文化遺産 iii iv vi

広大な平原の中に佇む聖堂は感動的な美しさ

第2のローマ

何なんだ、ここは⁉ 古代の碑文によれば、かつて、ここが美しい町だったとか？ 信じられない‼

実際、目の前に広がる目立たない町を見れば、こう叫んでも仕方ない。しかし、自分を取り囲む遺跡にもっと近づいてみると、少しずつ気づく。

ここは、かつて、第2のローマと呼ばれていた。ローマ帝国の町として設立され、そして商業の中心地となったアクイレイアは、紀元前4世紀、最盛期を迎えた。当時、ローマ人がアクイレイアの町に与えた重要性は、イタリアでは4番目、帝国全体では9番目といわれている。

アクイレイアの歴史は、繁栄と衰退を繰り返しているが、5世紀半ばになり、アッティラ率いる[※1]フン族[※2]の侵略によって破壊された。町の大半はいまだ発掘されておらず、地中には多くの遺跡が眠っている。

地中海における古代ローマ都市の姿をもっとも完全な状

態で残し、その重要性、希少性が認められ、世界遺産に登録された。

※1 アッティラ（406？-453）…フン族の王。中部ヨーロッパに大帝国を築き、西ローマ帝国を脅かした。

※2 北アジアの遊牧騎馬民族。

ヨーロッパに放たれるキリスト教布教の中心

アクイレイアには貴石などの高級品取引で繁栄した交易都市の顔と、キリスト教布教拠点の2つの顔がある。

杉の木が並ぶサクロ通りの近くには、ナティッサ川に設置された河港跡がある。渓流リング、倉庫、堤防などがある河港は1世紀に造られ、そこには市場があり、商業の中心だったことを想像させる。

さらに歩くと、突然、アクイレイア大聖堂が目の前に現れた。高さ73メートルと桁外れに大きな大聖堂は、ローマ時代の宗教的建造物の中でもっとも大きく、さらにキリスト教最古で、ここから東ヨーロッパへのキリスト教布教が始まり、アクイレイアは布教の拠点となった。

大聖堂のオリジナルは313年、テオドーロ司教によって建てられたが、現存する大聖堂は1031年、総大司教ポッポーネによって手が加えられたものである。

大聖堂には4世紀に造られた約800平方メートルもの壮大なモザイクの敷石があり、これは西洋にあるキリスト教のモニュメントの中で最大。約100年前に発見された地下聖堂には、総大司教の墓がある。

ローマ人の家跡

善と悪を示す「カメとオンドリの戦い」

Basilica di Aquileia
（アクイレイアの大聖堂）
バジリカ・ディ・アクイレイア

[住] Piazza Capitolo 1, 33051, Aquileia (UD)
[電] 0431. 91067
[料] 3ユーロ
[営] 4月～9月9:00～19:00
11月～2月10:00～16:00
（土日祝9:00～17:00）
3月、10月9:00～18:00
1/1は10:00～17:00
[休] 日曜10:00～11:30
12/25、1/6は14:00～15:30

Patrimonio mondiale
23

15世紀から17世紀のヴェネツィア共和国防衛施設群：スタート・ダ・テーラと西スタート・ダ・マール

2017年登録／文化遺産 ⅲ ⅳ

アクイレイア門。名前は出ていく道の方向にある町からつけられている

3か所の要塞都市

ヴェネツィア共和国は何世紀にもわたって地中海の海運、経済ともに強い力をもっていた。偉大な力は国家間の貿易にまでおよび、まさにあらゆる商品取引の中心地でもあった。しかし、その特異なまでの地位が繰り返し攻撃を受ける標的にもなったのは想像に難くない。それらに対抗し、敵から自国を守るために防衛を目的とした施設が数多く建てられた。

今日、クロアチアとモンテネグロと3か国で計6か所が共同登録されている。イタリアでは、ベルガモとペスキエーラ・デル・ガルダ、パルマノーヴァの3か所において3つの防衛施設が登録されている。さらに、火薬の発明は武力戦争に圧倒的な勝利をもたらした。従来の要塞では、もはや大砲に抵抗して武器で攻撃することはできず、火薬の導入は斬新な新兵器だった。それが、要塞建築と軍事技術に重要な変化をもたらし、現代の要塞デザインにも反映されるなど、多大な影響を与えたとし、2017年、世界遺産に登録された。

星形の町

他の2つの要塞都市は、ヴェネツィア人がやってくる前からすでに存在していたが、ここパルマノーヴァは16世紀

かつてダルミ広場（兵隊広場）と呼ばれていたグランデ広場

町は9つの先端をもつ完璧な星形の形をしている

オスマン帝国からヴェネツィア共和国を守るために設立された。

パルマノーヴァに到着すると、当時と同じように町は城壁で囲まれ、9つの点と18の側面からなる星形の形で構成されている。町へは3つある門のうち1つから入る。町の中で、1500年代の要塞としての印象をもっとも受ける場所は町の中心にあるグランデ広場。六角形の広場の中心には、長い旗竿があり、ヴェネツィア共和国時代の町の施政官の像が立つ。そして、この広場から放射線状に長い通りが6本走っており、兵士たちができるだけ早く町の壁の方へ移動できるように導いたという。星形の9つの先端の部分には、どこからでも敵を攻撃できるように、砲台が置かれている。

ところが、奇妙なことに、パルマノーヴァは軍事要塞でありながら、戦争に直接関与したことは一度もない。そして、1960年、パルマノーヴァは外観だけでなく、決して戦争にはならなかった町の「平和」に対するずば抜けた認識も認められ、国の重要文化財に指定されている。

Patrimonio mondiale
24

モデナの大聖堂、市民の塔、グランデ広場

グランデ広場は町の中心地であり、今日までほぼ無傷で建物が残っている

グランデ広場にある初期のロマネスク芸術

町の中心地、つまり見事な建物の集まるグランデ広場に行こう。

聖母像の置かれた時計塔から見下ろすと、真下にアーケードのある高貴な建物が見えるが、これは市庁舎。1046年以降建てられた数多くの建物を何世紀にもわたって再構築し、造り上げられた。中には1546年、ニコロ・デッラパーテによってモデナがローマの植民地だったころのエピソードが描かれたフレスコ画で有名な「火の間」がある。

市庁舎の前にそびえる壮大な教会は、モデナ大聖堂。12世紀において建築家のランフランコと彫刻家のヴィリジェルモという2人の偉大な芸術家が作り上げた作品であり、ロマネスク建築の傑作である。市庁舎の建物の角には12世紀に作られた大理石像が、壁に取り付けられた台の上に置かれている。言い伝えでは、長く続く飢餓のときに町の貧

しい人々を助けた慈善心溢れる婦人の像ということで、モデナの人々によって「ボニッシマ（立派な人、心優しい人）」とよばれている。

大聖堂の隣に建てられた市民の塔は、最初にランフランコとヴィリジェルモが五階までの部分を建て、その後、１２６１年には建築家のアッリーゴ・ダ・カンピオーネが八角形の六階部分を増築、１３１９年にはエンリコ・ダ・カンピオーネが尖塔を付け加えたため、塔の下部はロマネスク様式、上部はゴシック様式になっている。

高さ86・12メートルの鐘楼は少し傾いている。鐘は町の暮らしに必要な時間を刻み、町を囲む城壁の門が開くことを知らせ、危険な状況にあるときには人々を町へ召喚した。鐘楼の頂上を飾る風向計が花輪（ギルランダ）に似た美しい冠で飾られていることから、別名ギルランディーナとよばれる。

大聖堂、市民の塔、グランデ広場はロマネスク芸術の分野において、建築と彫刻の関係の新たな論理を強調する傑作と考えられ、世界遺産に登録された。

Duomo di Modena（モデナ大聖堂）
ドゥオモ・ディ・モデナ

[住] Corso Duomo, 41121, Modena
[電] 059. 216078
[料] 無料
[営] 7:00 ～ 19:00
（月曜7:00 ～ 12:30／15:30 ～ 19:00）

Torre Civica／Torre Ghirlandina（市民の塔／ギルランディーナの塔）
トッレ・チーヴィカ／トッレ・ギルランディーナ

[住] Piazza della Torre, 41121, Modena
[電] 059. 2032660
[料] 3ユーロ
[営] 4/1 ～ 9/30
火曜～金曜9:30 ～ 13:00／15:00 ～ 19:00
土日祝日9:30 ～ 19:00
10/1 ～ 3/31
火曜～金曜9:30 ～ 13:00／14:30 ～ 17:30
土日祝日9:30 ～ 17:30
[休] イースター、12/5、1/1

Palazzo Comunale（市庁舎）
パラッツォ・コムナーレ

[住] Piazza Grande 16, 41121, Modena
[電] 059. 2032644
[料] 無料（月曜～土曜、日曜午前中）、
2ユーロ（祝日15:00 ～ 19:00）
[営] 月曜～土曜8:00 ～ 19:00、
日曜と祝日9:30 ～ 12:30／15:00 ～ 19:00
[休] イースター、12/25、1/1

地下には町の守護聖人である聖ジミニャーノの墓がある

Patrimonio mondiale
25

ラヴェンナの初期キリスト教建築群

1996年登録／文化遺産 ⅰ ⅱ ⅲ ⅳ

建物群の1つ、アリアーニ洗礼堂にあるキリストの洗礼を描いたモザイク

初期キリスト教モザイクの町

どれほど歴史的記念物があり、どれだけ芸術の分野で称賛される記念物があるのだろう。そんな魅力的なラヴェンナの町が私たちを歓迎してくれる。

それらは、ほぼラヴェンナの歴史においてもっとも素晴らしい時期であった5、6世紀に建てられたことを思い起こしてほしい。世界遺産に登録されているネオニアーノ洗礼堂やガッラ・プラキディア廟堂など8つの建物はすべてその時代のものである。

この建築群は、初期キリスト教の宗教的なモニュメントにおいて、優れたモザイク技術が認められ、世界遺産に登録された。

時が止まったままの宝

全世界から称賛されている魅力的なサン・ヴィターレ聖堂は525年、ジュリアーノ・アルジェンターリオによっ

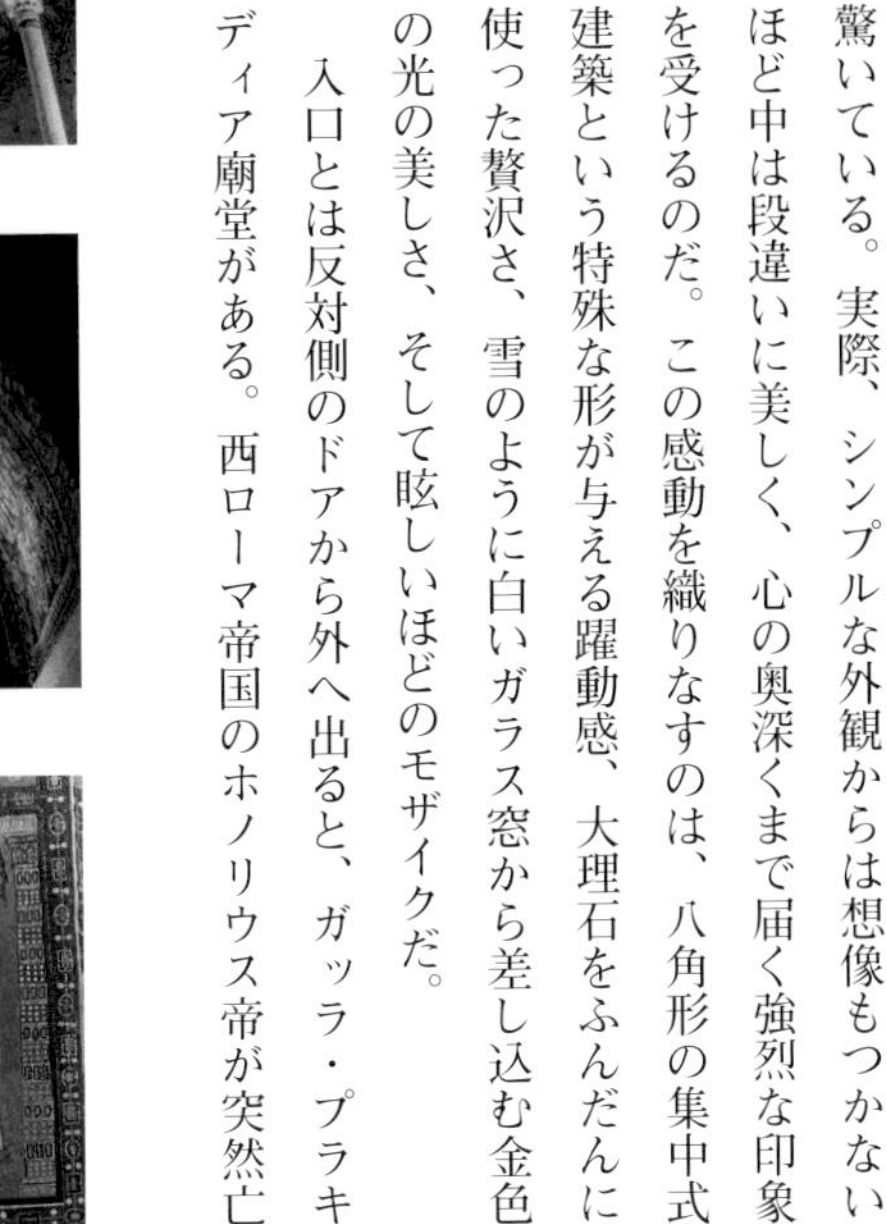
サン・ヴィターレ聖堂

ガッラ・プラチディア廟堂

聖杯を差し出す皇妃テオドーラのモザイク

て設計され、大司教マクシミアヌスによって奉献された。

やっぱり！　想像したとおり、ここを訪れる人はみんな驚いている。実際、シンプルな外観からは想像もつかないほど中は段違いに美しく、心の奥深くまで届く強烈な印象を受けるのだ。この感動を織りなすのは、八角形の集中式建築という特殊な形が与える躍動感、大理石をふんだんに使った贅沢さ、雪のように白いガラス窓から差し込む金色の光の美しさ、そして眩しいほどのモザイクだ。

入口とは反対側のドアから外へ出ると、ガッラ・プラキディア廟堂がある。西ローマ帝国のホノリウス帝が突然亡くなったとき、異母妹であるガッラ・プラキディアが建てたものである。外観は驚くほどシンプルだが、薄暗い内部にはラヴェンナでもっとも古く、そしてもっとも保存状態のよいモザイクがある。霊廟は、美しい円天井をもち、そこには夜空が描かれていて、無数の星が自然の光で輝いているように見える。

ラヴェンナの中心部から8キロ離れたところには、田園地帯に囲まれたサンタ・ポッリナーレ・イン・クラッセ聖堂がそびえたつ。ラヴェンナは何世紀にもわたる突然の敵の侵攻に苦しんだにもかかわらず、大理石でできた司教の石棺と、内部にある壁からアプシスまでも覆いつくす素晴らしいモザイクは当時のまま残されており、初期キリスト教の卓越した力を物語っている。

テオドリック大王の死の謎

テオドリック廟は、５２０年に建てられたテオドリック大王の墓である。ラヴェンナの駅近くにあり、緑豊かなエリアに建つ。この墓の驚くべき特徴は、直径10メートルのドーム型の屋根にあり、それはイストリア半島から持ち込まれたという230トンの石灰岩、しかも、それが一枚岩でできていることだ。中には、王の遺体が納められていたという蓋のない赤紫の斑岩でできた石棺があり、王の遺体はビザンティン支配の際に、取り除かれた。

屋根には明らかにそれと見てとれるほど鮮明に亀裂が入っており、ここからテオドリック王の伝説が生まれた。

この亀裂は、落雷が原因とみられている。偉大な王は存命中に、稲妻の落雷から死が引き起こされると予言されていた。この運命から逃れるため、テオドリックは雨が降るたびに避難する場所として、自身を保護するための頑丈な建物を設けていた。しかし、嵐の夜、過去の予言は人間の意志よりも強く、こともあろうに、稲妻が屋根を貫き、テオドリック王の上に落ちて、王は亡くなったといわれている。

サンタポッリナーレ・ヌオーヴォ聖堂

テオドリック廟

Basilica di San Vitale
（サン・ヴィターレ聖堂）
バズィリカ・ディ・サン・ヴィターレ

[住] Via San Vitale 17, 48121, Ravenna
[電] 0544. 541688
[料] 9.50ユーロ
（サン・ヴィターレ聖堂、ネオニアーノ聖堂、サンタ・ポッリナーレ・ヌオーヴォ聖堂、ガッラ・プラチディア廟の共通券、入場は1か所につき1回）
[営] 夏季（3/8 ～ 11/1） 9:00 ～ 19:00
冬季（11/4 ～ 3/7） 10:00 ～ 17:00
[休] 1/1、12/25

Mausoleo di Teodorico
（テオドリック廟）
マウゾレオ・テオドリーコ

[住] Via delle Industrie 14, 48122, Ravenna
[電] 0544. 456701
[料] 4ユーロ
[営] 夏季（3/31 ～ 11/3） 8:30 ～ 19:00
冬季（11/4 ～ 3/30） 8:30 ～ 16:30
[休] 1/1、12/25

scopri di più

世界でもっとも偉大な詩人ダンテの墓

Tomba di Dante（ダンテの墓）

トンバ・ディ・ダンテ

[住] Via Dante Alighieri 9, 48121, Ravenna
[電] 0554. 215676
[料] 無料
[営] 4～10月10:00 ～ 19:00
11～3月10:00 ～ 18:00
1/1　13:00 ～ 18:00
[休] 12/25

ダンテは1316年、故郷フィレンツェから追放され、ラヴェンナにやってきた。そして、ここで「神曲」を完成させ、晩年を過ごし、1321年9月13日から14日にかけての夜に亡くなった。死の翌日、現在も置かれている石棺の中にダンテの遺体は納められた。

1519年、フィレンツェのレオ10世が教皇に就任すると遺骨をフィレンツェへ移送するよう命じたが、驚いてしまった。なんと、石棺の中は空っぽ！

実は、フランシスコ会の修道士たちが修道院を囲む壁に穴を開けて遺骨を盗み出し、修道院の回廊内へ移動させた。1810年にもまた、修道士たちは骨を隠すために骨を取り出し、新しい骨壺は隣接する礼拝堂に穴を開けて、そこに納めた後、塞いで隠したため、誰もこのダンテの遺骨について知らないままとなった。

1865年5月27日、ある作業員が骨壺を発見した。そしてある学生が骨壺に書かれた文字を訳し、叫んだ。「ダンテの骨は、墓の中ではなく、この中にある！」

その後、骨は再構成され、クリスタルケースに入れて一般公開。そして、私たちが今、目にすることのできる小さな寺院に再び納められたという。もちろん、ラヴェンナの町で……。しかし、フィレンツェは諦めきれず、サンタ・クローチェ聖堂に2番目の墓を建て、ダンテへの思い、ダンテの魂のみを葬った。

フェラーラ：ルネサンス期の市街とポー川デルタ地帯

1995年登録、1999年拡張／文化遺産 ii iii iv v vi

もともと、ニッコロ2世が大衆の反乱を恐れて要塞として建てたエステンセ城

フェラーラに建つエステ家の家

ポー川のほとりに佇むフェラーラの町は、イタリアのルネッサンスに関心をもつ人々を惹きつける。

エステ家[※1]によって整備された町は、ルネサンス様式で設計されており、次世紀における都市主義への発展に大きな影響を与えたとして、世界遺産に登録された。

駅を出て、町の中心にあるカヴール通りへ向かうと、大きなエステンセ城がある。城は1385年、ニッコロ2世の依頼により、建築家バルトリーノ・プローティが建てたエステ家の居城だ。水の入った深くて広い堀に囲まれており、その巨大でどっしりとした塔は、何世紀にもわたって町を有名にしたエステ家の力を見せつけているかのようだ。

素晴らしい部屋は昔のまま残っている。地下にある暗くて恐ろしい牢獄を訪れることも可能だ。

※1　13世紀半ばから19世紀にかけて、北イタリアで政治、文化上指導的役割を果たしたイタリアの有力な貴族の家系の1つ。

エステ家の「城のような別荘」

エステ家はフェラーラの歴史においてシンボル的存在。彼らは自分たちの領土に「城のような建物」を散りばめている。休暇を過ごす別荘や、宴会、狩猟、美味しい食事を楽しむための宮殿や城だ。こういった別荘は、73あるという。現存するものは少ないが、その時代の趣向、動向などを知るには十分で、もっとも興味深い建物の1つがスキファノイア宮。現在は町の中心地にあるが、1385年に建てられた当時は、ポー川のすぐ側という郊外にあった。

スキファノイア宮は、公爵の娯楽や悦楽のための様々な用途に使われた贅沢な宮殿である。「12か月の間」には、美しいフレスコ画があることで有名。だけど、フレスコ画12か月のすべてが残っていないのが残念！

ポー川デルタ公園

ポー川デルタ地帯は52000ヘクタールの大きさをもつイタリア最大の湿地帯で、フェラーラの町と一緒に世界遺産に登録されている。

300種以上の留鳥や渡り鳥があちこちで生息しており、バードウォッチャーにとって理想的な公園。鳥だけでなく、鹿を始めとする哺乳類も生息している。公園内にはあちこちに観光案内所があり、ボートや自転車で周遊することで、動物たちの自然な生活リズムを邪魔することなく、デルタ地帯を楽しむことができる。

天使の像に支えられたバルコニーのあるプロスペリ・サクラティ宮

ダイヤカットされた1万2千個の大理石が建物の壁を覆うディアマンテ宮殿

世界遺産の町フェラーラとラヴェンナに囲まれたポー川デルタ公園

Castello Estense
（エステンセ城）
カステッロ・エステンセ

［住］Largo Castello 1, 44121, Ferrara
［電］0532. 299233
［料］8ユーロ
［営］9:30 ～ 17:30
［休］月曜（10月～ 2月）

Palazzo Schifanoia
（スキファノイア宮）
パラッツォ・スキファノイア

［住］Via Scandiana 23, Ferrara, 44100
［電］0532. 244949
［料］3ユーロ
［営］9:30 ～ 18:00
［休］月曜、1/1、1/6、11/1、12/25、12/26

Palazzo dei Diamanti
（ディアマンティ宮）
パラッツォ・デイ・ディアマンティ

［住］Corso Ercole I d' Este 21, 44121, Ferrara
［電］0532. 244949
［料］10ユーロ
［営］10:30 ～ 19:30
［休］土・日曜

Patrimonio culturale intangibile

27

アルピニズム

2019年登録／無形文化遺産

伝統的なスポーツ慣習

アルピニズムはスポーツとして楽しむ登山のことで、岩だらけ、または凍った高山の頂や岸壁を上る登山技術や野営技術、ピッケルやアイゼンのような特殊なツールの使用スキル、そして気候の変化や高山の自然環境、身の上にふりかかる予測不可能な出来事に対応するための知識の習得を必要とする。

アルピニズムの文化は、スポーツとしての美学に基づいており、登山者それぞれの責任と、援助や支援を相互に行う義務といった倫理原則を表現している。実際、避難所では、登山者が夜、それぞれの経験などを語り伝えあうことで、知識や情報の共有を可能にしている。登山家のメンタリティーのもう1つの重要な部分はチーム精神で、それは登山者をつなぐロープに表れている。

アルピニズムは異なるコミュニティ間の積極的な協力を証明し、人間と自然の持続可能な関係を肯定する素晴らしい例であることが認められ、無形文化遺産に登録された。

2章
イタリア中部

Italia Centrale

フィレンツェ歴史地区

1982年登録／文化遺産 i iii vi

1128年まで大聖堂として使われていたサン・ジョヴァンニ洗礼堂

町の中心にある600年間の芸術

エトルリア人の居住地としてつくられたフィレンツェは、ルネサンスの象徴である。15世紀から16世紀にかけて、メディチ家[※1]の支配下において経済的、文化的な頂点に達した。600年におよぶ並外れた芸術活動はサンタ・マリア・デル・フィオーレ大聖堂、サンタ・クローチェ聖堂、ウフィツィ美術館、ピッティ宮殿などの建築物、そして画家ジョット、ボッティチェリ、建築家ブルネレスキ、彫刻家ミケランジェロといった偉大な巨匠の作品の中で、特に際立っている。

14世紀の城壁に囲まれた歴史地区は、フィレンツェでもっとも重要な文化財であり、芸術、ヒューマニズム、建築といった貴重な作品を収めたまさに宝庫である。

フィレンツェの歴史地区は人間が作り上げた創造的かつ天才的な傑作であることが認められ、世界遺産に登録された。

※1 銀行家、政治家として頭角をあらわし、後にトスカーナ大公国の君主となった一族。ルネサンスの学芸の保護に努めた。

傑出したルネサンスの野外美術館

フィレンツェがもっとも人気のある観光地の1つであることはよく知られている。歴史地区には数多くの芸術作品が残り、唯一無二の傑出した芸術的価値があるため、フィレンツェは他の世界遺産の中でも、際立って有名だ。

フィレンツェの観光は、サン・ジョヴァンニ広場とドゥオモ広場で形成された市内中心部から出発しよう。これら2つの広場だけで十分、フィレンツェを堪能することができる。もっとも重要な建物は、サンタ・マリア・デル・フィオーレ大聖堂。ピンク、白、緑の大理石で覆われた大聖堂は、世界で5番目の大きさを誇る。側面にある4枚の扉の1つには、もっとも豪華な装飾が施されており、アーモンドの形をしていることから「アーモンドの扉」とよばれている。

これらの美しい芸術を詰め込んだ町を一望したいなら、行くべきはミケランジェロ広場。ルネサンス芸術の巨匠に捧げられた広場は、1869年、建築家ジュゼッペ・ポッジが町の南側にある丘の上に設計した。広場の中央にはミケランジェロの傑作ダビデ像のレプリカが置かれている。本物は大理石で作られているが、レプリカは青銅でできており、9頭の牛でここまで運ばれてきたというから驚きだ。

ヴェッキオ宮殿

ウフィツィ美術館

青銅でできたダビデ像

Patrimonio mondiale

29

ピサのドゥオモ広場

1987年登録／文化遺産 ⅰ ⅳ

サンタ・マリア通りを歩いていると突然現れるイタリアでもっとも美しいドゥオモ広場

斜塔は町の……いや、世界のシンボル！

劇作家ダヌンツィオが「ミラコリ広場」と呼んだドゥオモ広場。ここにあるドゥオモと洗礼堂、斜塔、墓地を含む広場が世界遺産に登録されている。青々とした芝生に立つ真っ白な大理石、そのコントラストが織りなす魅力が、まさにミラーコロ（奇跡）。

私の視線はあの斜塔に釘付けだ。斜塔の周りには多くの人が集まっている。塔へ上がる準備をしている人は不安そうで、塔から降りてきたばかりの人は興奮気味だ。私も世界でもっとも有名なこの塔の側に寄ってみることにしよう。うわぁ、なんて傾いてるんだろう！　塔は、垂直線から約4メートルも傾いている。約800年もこの状態を保っているのだから大丈夫。いよいよ斜塔に入ろう。

右回りの階段を上がると、階段は石がつるつるして滑りやすい。8歳以下の子供は塔に上がることはできない。らせん状の階段をのぼると、すべての階で、柱廊のある外へ出ることができる。外から見ると、柱廊は塔に6つのリングがかかっているようだ。頂上の小さなスペースは、ガリレオ・ガリレイが重い球と軽い球を同時に落とす実験を行ったことで有名だ。

傾いて。もっと傾いて。だけど倒れない!!

斜塔の建設工事は１１７３年に始まり、地面の陥没によって一時中断、１２７５年に再開された。8階建ての斜塔は、当初もっと高いものを建てる計画だったが、3階部分を建設中、すでに傾いていた。塔の高さは58・36メートル、総重量は14・453トン。何世紀にもわたって塔は傾きつづけ、多くの人が心配して問題の解決に関心を寄せた。

振動で塔が傾くのを防ぐため鐘楼なのに建設以降、鐘は一度も鳴らされていない

１８００年代、地質調査から、地下にある大量の水が柔らかい地面の原因であることを突き止め、ポンプで水を吸い出したが、塔はさらに傾いた。

１９０８年、地面に３９１の穴をあけ、92トンのセメントを流し込み、地面を強固にしようと試みたが、塔はもっと傾いた。

このままでは、間違いなく倒れてしまう！　１９７３年、塔は南側に傾いており、その反対側におもりを置き、ようやく２００年前の傾きに戻ったものの、１９９３年、傾きは4・5度に達し、斜塔の崩壊が現実のものになると誰もが頭を抱えた。９００キロのおもりを置いたが、塔の傾きは直らなかった。

１９９９年から２００１年、これまでの修復工事を考え直すことにした。塔の北側にある地面の土を一定量取り除き、ついに傾きを０・５度戻すことに成功。たったの０・5度と思うが、これで塔は50センチ垂直に戻った。

水面の温度など少しの変化が塔の傾きに影響する。これらの変化を測るセンサーを設置した10年後の２０１１年、

大聖堂内には、ガリレオ・ガリレイが振り子の等時性を発見したシャンデリアがある

傾斜は２００８年の計測と同じ、４度のままで、ついに傾きは止まった！

ジャミオルコフスキー教授によると、塔の傾きが安定しているのは一時的かもしれないが、さらに傾いたとしても知覚できるほどのものではない。将来、さらに傾く可能性があっても、この先３００年は大丈夫とのことである。

ピサ式ロマネスク様式の傑作、ドゥオモ

Piazza del Duomo
（ドゥオモ広場）
ピアッツァ・デル・ドゥオーモ

[住] Piazza del Duomo, 56126, Pisa
[HP] www.opapisa.it
[料] 斜塔：18ユーロ
洗礼堂、墓地、シノピエ美術館のうち、1つ入場は5ユーロ、2つ入場は7ユーロ、3つ入場８ユーロ
ドゥオモは上記の入場券を持っているか、ない場合はチケット売り場で入場券を受け取る（この場合、無料）

定刻になると鐘楼からバチカンのサン・ピエトロ大聖堂の鐘を録音したものが流れる

Patrimonio mondiale

30

サン・ジミニャーノ歴史地区

1990年登録／文化遺産 i iv

塔の群れが目の前に広がる光景への驚きと感動は唯一無二

富と権力の象徴である塔がいっぱい！

紀元前3世紀ころから、エトルスキ人が住んでいたと思われるサン・ジミニャーノの町。オリーブの木で囲まれたなだらかな山道を進むと突然、たくさんの塔が現れる。

これこそが、この町を一気に有名にさせた美しい塔の数々で、サン・ジミニャーノのシンボル。もっとも町が栄えた12、13世紀、敵から町を守るため、塔の上から油や石を投げていた。14世紀頃になると、貴族たちが我こそはと競って、あちこちに塔を建てた。これらの塔は富と権力の象徴なのだ。

中世にはたくさんの塔が建っており、最盛期には72本あったというが、現在残っているのはわずか14本。

私は今、壁で囲まれた町への入口の1つサン・ジョヴァンニ門の前にいる。ここから町の中へ入ろう。

門を通ると突然、左手の店先にポルケッタが置かれている。これはハーブやスパイスを詰めて焼いた豚の丸焼き。

通りには古い建物が並び、静かで穏やかだ。小さな土産物店が軒を連ね、店先にはカラフルなパスタが目立つ。町の特産である華やかな陶器は小さな店内にぎっしり並んでいる。視線は右に左にと忙しいが、歩いていると徐々に通りは大きくなり、その先に3つの広場がある。周りを見渡すと、中世の建物に取り囲まれ、中世へとタイムスリップした気分だ。

訪れるべきは、ココ！

サン・ジョヴァンニ通りを過ぎるとデッラ・チステルナ広場にでる。この広場には、1237年に造られた井戸（チステルナ）やたくさんの塔があり、その1つがアルディンゲッリの双塔だ。当時、フィレンツェで絶大な力を持っていたグエルフィ党（教皇派）と、ギベッリーニ党（皇帝派）は闘争関係にあった。サン・ジミニャーノ出身でグエルフィ党を支持していたのがアルディンゲッリ家。一方、ギベッリーニ党支持者だったのがサルヴッチ家。

サルヴッチ家は、常に敵視していた相手の動きをスパイしており、チステルナ広場の真向かいにあるデッラ・エルバ広場にサルヴッチの塔を建てた。ドゥオモ広場にある旧ポデスタ宮の塔は、この2つの塔を同時に見ることができるため、両者がお互いの塔をスパイしていた塔でもある。

「アルディンゲッリ家に誰か出入りしている！　あいつら、また塔を増築するんじゃ！」

「サルヴッチ家の人間の動きが慌ただしい！　何かしているにちがいない。我々を出し抜こうっていうんじゃ！」

実際はどうだったのか不明だが、両者の歯ぎしりが聞こえてきそうだ。この塔は、ロニョーザとよばれている。ロニョーザとは、イタリア語で卑劣、迷惑、厄介といった意味だ。

町の特産である華やかな陶器が小さな店内にぎっしり並んでいる

チステルナ広場の中央に置かれた八角形の井戸は戦前まで使用されていた

実は美術品の宝庫

サン・ジミニャーノで鑑賞すべきは、塔だけではない。ドゥオモは12世紀に建てられ、大聖堂ではなく参事会教会とよばれている。美術館かと錯覚するほど美術品が豊富に眠り、壁はベノッツォ・ゴッツォリなどの画家によって描かれたフレスコ画で覆われている。教会の奥にはサンタ・フィーナ礼拝堂。建築家ジュリアーノ・ダ・マイアーノが造った礼拝堂の祭壇には、聖女フィーナの人生が、画家ギルランダイオによってフレスコで描かれている。聖女フィーナとは、13世紀に実在したサン・ジミニャーノ出身の少女である。

グロッサ塔を上がろう。この54メートルの塔は、町長が代わるたびに増築され、町でもっとも大きい。急な183段の階段をのぼり、到着した頂上には、80年代まで実際に使用していた3つの大きな鐘があり、プラトマーニョ山脈を一望できる。見下ろすとサン・ジミニャーノの町が広がり、言葉で言い尽くせないほどの大絶景に疲れも吹っ飛ぶ。

他にも昔と変わらない古びた建物があるので、案内しよう。

フォルゴレ・ダ・サン・ジミニャーノ通りは、1200年代の建物、サンタ・フィーナ病院の近くにあり、その先に小さなヤコポ教会が見えたら、右側にある狭い通りを町の壁に沿って歩こう。

デッレ・フォンティ通りに出たら、左側にある急な坂道を降りてフォンティ（水源）を見に行こう。このフォンティでは、かつて羊の毛を洗っていた。

サン・ステファノ通りの終わりには1400年代の門と、かつて監獄として使用していた旧サン・ドメニコ修道院がある。カステッロ通りを進み、チステルナ広場の１００メートル手前にある狭くて暗いトンネルを通ると、聖女フィーナの生家がある。

　ドゥオモ広場に出たら、ドゥオモの右側にある通りを進もう。１３００年代、この町を占領したフィレンツェ共和国によって置かれたロッカ（城砦跡）がある。ここで２人の女性が水彩画を描いていた。その近くで、男性がギターを弾きながら歌っている。目の前に広がるキアンティ地方の田園風景が美しすぎて、思わずそこに立ち尽くしてしまった。後ろを振り返ると、指で塔に触れることができそうなほど、塔を近くに感じる。

Palazzo Comunale, Pinacoteca, Torre Grossa
（ポポロ宮殿、絵画の間、グロッサの塔）
パラッツォ・コムナーレ、ピナコテカ、トッレ・グロッサ
[住] Piazza Duomo 2, 53037, San Gimignano
[料] 9ユーロ
[営] 4～9月 10:00～19:30
10～3月11:00～17:30
1月1日 12:30～17:30
[休] 12/25

Patrimonio mondiale

31

シエナ歴史地区

1995年登録／文化遺産

黒と白の縞模様とレースのようなファサードが美しいシエナ大聖堂

シエナの町の美しさ

シエナは典型的な中世の町そのものだ。12～15世紀の間、ロレンツェッティやシモーネ・マルティーニといった画家たちによって制作されたゴシック絵画を何世紀にもわたって保有しており、これらの作品は何よりも、イタリア、いや、ヨーロッパ全体における芸術に影響を与えた。

カンポ広場を中心に造られた町は、現在も、無傷のまま残っており、その芸術的遺産である中世の街並み、そして17のコントラーダ（地区）によって競われるパーリオ（馬のレース）は、世界中で知られている。

シエナの町の建築物は都市構造として非常に調和が取れており、また文化的景観全体を取り囲むように設計され、町全体が創意工夫を凝らした傑作であるとして、世界遺産に登録された。

ゴシックの中心とパーリオの町をめぐる旅

シエナの町はどのようにして回ろうか？　もちろん、徒歩で。特にシエナのような「特別な」町を知るには、それより良い方法などない。シエナは、ほぼ完全に中世の町であり、愛（そして少しの努力）を込めて歩きながら通りとそれぞれの「コントラーダ（地区）」を探すことで、シエナの美しさの秘密を知ることができるのだ。

まずは、カンポ広場を目指して出発しよう。市内でもっとも激しく脈動するエリアに到着。ここは、シエナの３つの主要な動脈とよぶべきチッタ通り、バンキ・ディ・ソープラ通り、バンキ・ディ・ソット通りが交差するポイントで、中世、ローマへの巡礼者に道を示す道路標識としての十字架に由来し、「クローチェ（十字架）のトラヴァリオ」とよばれる。今日、この場所は多くの人が行き交い、ゴシック様式の建物を撮影しようとする観光客で活気づいている。

カンポ広場

中世の街並みがそのまま残るシエナ

目の前にメルカンツィーアのロッジャが見えたら、横の路地を下っていき、カンポ広場に着く。広場は、省略して「イル・カンポ」の名前で親しまれている。

それにしても、なんて芸術的な広場なんだろう！　広場は少し斜めに傾いていて、９人統治[※1]を示す９つの放射状に区切った貝殻のような形をしている。

目の前にはトスカーナのゴシック建築のもっとも美しい例の１つである大きなプッブリコ宮殿があり、その上には大きなマンジャの塔がそびえ立つ。そのすぐ麓には、うっかり見落としてしまいそうなほど小さな「広場の礼拝堂」の優雅なロッジャがある。横にある扉を入るとポデスタの中庭があり、上を見上げるとマンジャの塔が見える。

それでは１３００年代の建築、マンジャの塔に入ってみよう。１０２メートルの高さをほこる塔は、シエナでもっとも高く、建築当時はイタリアでもいちばん高かった。幅が狭く、段によっては少し傾いた５０５段の階段を上がると、丘に囲まれたシエナの町全体を見晴らす大絶景が私たちを待ち受ける。

マンジャの塔とプッブリコ宮殿

シエナの町における美の痕跡は、ゴシック様式を基準に広がっており、キージ・サラチーニ宮殿やトロメイ宮殿といった貴族の邸宅で多くみられる。学者たちは、シエナの町と建築の歴史から昔の痕跡を読み取ることが可能な城や塔、家などの中世モデルを研究し、当時の姿を特定した。その結果、シエナには過去、最高で70の塔があったそうだ。

※1 中流階級の市民から選ばれた代表9人による統治体制。

ポデスタの中庭

Torre del Mangia
（マンジャの塔）
トッレ・デル・マンジャ

[住] Piazza del Campo 1, 53100, Siena
[電] 0577. 292226
[料] 10ユーロ
[営] 夏季 (3/1 ～ 10/15) 10：00 ～ 19：00
冬季 (10/15 ～ 2/28) 10：00 ～ 16：00
[休] 12/25

scopri di più

町の中にあるたくさんの町「コントラーダ」と馬のレース「パーリオ」

1260年、モンタペルティの戦い[※1]においてフィレンツェを破る。この奇跡のような出来事に感謝し、聖母マリアがシエーナに現れたとされる7月2日と聖母の被昇天の翌日である8月16日の2つの日に馬のレースを設立することにした。

もともと、このレースは町全体で楽しむイベントだったが、次第に様々なコントラーダ間の競争となり、今日でもこの2つの日程で毎年レースが行われている。

コントラーダとは、町の中心地にある地区のことで、各コントラーダにはその住民の強さや勤勉さなどをヒョウやカタツムリのような動物をモチーフに描いた独自の旗があるだけでなく、教会、記念品や衣装を保管する博物館もある。

レース当日、住民は礼拝堂でミサを受け、参加するコントラーダの代表者たちは各地区の「パーリオ（もともとは優勝旗を指す）」を、7月2日はサンタ・マリア・ディ・プロヴェンザーノ教会へ、8月16日はドゥオモへ持っていく。

町の各コントラーダを、旗を回しながら歩く旗手、中世の衣装を着た騎士、そして輝く馬衣で覆われた馬がカンポ広場まで行進。広場には陪審員席、階段状の木製の観覧席などが用意されている。周辺にある建物やアーケードなどにもたくさんの人がいて、広場のどこを見渡しても人で溢れかえっている。

すべての馬はカーナポとよばれるピンと張られたロープの近くに並ぶ。合図で、カーナポが落とされ、それぞれの馬が大きくいななきながら疾走していく。勝利した騎手は、そのコントラーダの住民によって胴上げされ、終わりを告げる。

※1　1260年、皇帝派のシエーナと教皇派のフィレンツェの間で起きた戦い。初めは優勢だったフィレンツェにシエーナが勝利した。

Patrimonio mondiale
32

トスカーナ地方のメディチ家の邸宅群と庭園群

2013年登録／文化遺産

ピッティ宮殿に隣接するボーボリ庭園。最初のイタリア式庭園で噴水や野外劇場、人工洞窟などがある

フィレンツェとメディチ家

15世紀初頭、フィレンツェはまだ地方自治体だった。長い間、強大な権力を得るのに苦労していたが、当時、商取引と銀行業務のおかげで富と名声を得たメディチ家が台頭し、そうして1434年、コジモ・デ・メディチはフィレンツェの支配者となった。しかし、コジモは公職に就かないと決めており、それらの役職を彼が信頼する友人に割り当て、自分の管理下に置いた。こうしたやり方は息子ピエロ・ディ・コジモやイル・マニフィコと呼ばれた孫のロレンツォを踏襲、システムとして構築され、1532年にアレッサンドロ・デ・メディチがフィレンツェ公となり、フィレンツェ公国が誕生した。

メディチ家は巨万の富を学術や芸術の保護、支援のために費やした。当時の偉大な建築家、彫刻家、画家たちは庇護を受けながらメディチ家で働き、ロレンツォの治世になるとルネサンス芸術は最盛期を迎えて、数多くの傑作が生まれることになった。

この世界遺産項目は、当時強大な権力をもったメディチ家が所有していた12のヴィラと2つの庭園で構成されている。トスカーナ州だけで、メディチ家が所有する建物は36あるが、その中でも文化的、芸術的な美しさ、周囲の景観との関係性、機能、構造などが評価され、ユネスコが設定する登録基準を適切に満たす14の邸宅と庭園が世界遺産に登録された。

ラ・マジア邸

世界遺産に登録されたヴィラの一部は個人所有だったり、一般公開されていないため、訪れることができない。

フィレンツェから約40キロのところにあるピストイア県のラ・マジア邸がある。1335年、ピストイアの貴族パンチアティキ家がこの領地を購入した。ピストイア市周辺の山に土地や城を所有するギベッリーニ派の一家は、グエルフィ派のカンチェッリエーリ家との闘争後、ピストイア-フィレンツェ間の通行を制御するために絶好の場所として、現在、ラ・マジア邸のあるこの土地を買うことにしたという。

覇権を争う敵からの防御のために使用することを目的にした、塔のついた家、それがラ・マジア邸である。しかしながら、邸宅は経済的困難のため、ニッコロ・パンチャティキによってメディチ家に売却される。1583年、フランチェスコ1世・デ・メディチ大公はラ・マジア邸と、領地すべてを手に入れた。メディチ家にとって、この邸宅は他にある邸宅群のちょうど中心地にあり、さらにモンタルバーノ地域の監視が可能で、さらに狩猟を楽しむこともできるため、非常に特別な意味をもつ。

1536年5月、まさに狩りの帰りにローマ皇帝カール5世がラ・マジア邸を訪れたといわれ、彼が飲んだときに使用した「銅の水差し」は、現在も別荘内に保管されている。

Villa La Magia
(ラ・マジア邸)
ヴィッラ・ラ・マジア
[住] Via Vecchia Fiorentina 63, 51039, Quarrata
[電] 0573. 774500
[料] 8ユーロ(ガイド付き、16時～)
[営] 日曜のみ

Patrimonio mondiale

33

ピエンツァ市街の歴史地区

1996年登録／文化遺産 i ii iv

トスカーナの宝石といわれるピエンツァ

理想都市としてのモデル

小さな村でしかなかった中世の町コルシニャノが理想的な近代都市へと変わることを願ったのは、この地で生まれた教皇ピオ2世ピッコロミニだった。1459年、故郷の外観を変えると決めた教皇は、この「理想の都市」の実現を建築家ベルナルド・ロッセッリーニに依頼した。町は1459〜1462年までのわずか3年で完成し、ルネサンス建築の立ち並ぶ新しい都市が生まれた。

ピエンツァにある主なルネサンス建築は、1405年、教皇に捧げられたピオ2世広場に面して建てられている。広場には、大聖堂、市庁舎の他、1962年までピッコロミニ家の住居だったピッコロミニ宮殿があり、図書室や教皇の寝室といったプライベートな部屋、中庭などを訪れることができる。

理想的な都市の最高の化身と定義されたピエンツァは、オルチャ渓谷を見下ろす丘の上にある。教皇ピオ2世のおかげで、その美しさを手に入れ、名前が世に知られることとなった。理想都市として生み出された建築物の見事なまでの優雅さが認められ、世界遺産に登録された。

Patrimonio mondiale

34

ヴァル・ドルチャ

2004年登録／文化遺産 ⅳ ⅵ

サン・クイーリコ・ドルチャにあるイトスギはオルチャ渓谷のシンボル

ルネッサンス美術のモチーフ

オルチャ川と交差する渓谷はヴァル・ドルチャ（オルチャ渓谷）とよばれ、今日まで手付かずのままの風景が残る。この外観が風景画のジャンルにおいて理想的な地で、絵画作品の中でルネサンスの農業景観の美しさを表し、シエナ派の芸術家に大きな影響を与えたとして、2004年、世界遺産に登録された。

オルチャ渓谷の風景は村と村を結ぶ農場によって作り上げられ、ローマからフランス、イギリスまで結ぶ巡礼路「フランチージェナ街道」が横切る。街道を行き交う巡礼者や商人、旅人たちが安全な休憩地を必要としたため、境界や城は強化され、通貨が増加し、渓谷は繁栄した。

ゆるやかな丘が広がる牧歌的で美しい景観の中には、古い村や城、広大なオリーブ畑やブドウ畑がある。オルチャ渓谷はオリーブオイルや、ブルネットやノービレといった有名なワインの生産地でもある。

オルチャ渓谷ののどかな風景を楽しむ方法の1つに観光列車があり、古い蒸気機関車が、シエナから出発する。列車は行事に合わせて運行するので、事前によく確認しておこう。

F.T.I. Ferrovie Turistiche Italiane
（F.T.I. イタリア観光鉄道）
フェッロヴィエ・トゥリスティケ・イタリアーネ
[HP] www.ferrovieturistiche.it/en/

Patrimonio mondiale
35

ウルビーノ歴史地区

1998年登録／文化遺産 ⅱ

ウルビーノの町の中心地は、焼成レンガの壁で完全に囲まれている

小さな路地にあるルネッサンス

丘の上にある小さな町ウルビーノは、15世紀、領主モンテフェルトロ家の元で文化が栄えたが、16世紀以降の経済的、文化的停滞のため、そのルネサンス様式の外観をそのまま残している。町の中でもっとも印象的なのは狭い通り、突然現れる急峻な坂道、路地、階段、地下道などが密集している点だろう。

短期間のうちに爆発的に文化的発展を遂げたウルビーノで、当時、もっとも著名な芸術家、もっとも重要な人文科学者などが学び、そこからヨーロッパにおける他の地域にも建物や芸術を広めていった。大きな影響を及ぼしたその功績が認められ、世界遺産に登録された。

ドゥカーレ宮殿と中世の街並み

15世紀後半、ウルビーノは中世の村からルネサンスの町へと変貌を遂げた。公爵はルネサンス様式の素晴らしい宮殿を建てさせ、それは自身の権力と文化の象徴でもあった。領主フェデリコ・ダ・モンフェルトロの宮廷では、ブラマンテやデッラ・フランチェスカといった当時、もっとも有名な芸術家たちが働いていた。

城壁に囲まれた街に入り、ドゥカーレ宮殿の入口へ到着。たおやかな印象の塔、気品に溢れた巨大な建物である。空へとのびる芸術の奇跡と称えられたこの建物は、1465年、建築家ルチアーノ・ラウラーナによる大傑作だ。

優雅な中庭を通り、美しい像や様々な紋章で飾られたまるでモニュメントのような大階段を上がり、上の階へと行くと、君主の豪華な部屋が目の前に並ぶ。部屋には美しい扉、上品な装飾、暖炉などがある。「フェデリーコ公の書斎」を訪れると、まばゆいばかりの天井と寄せ木細工で覆われた貴重な壁があり、現実の世界に魔法がかかったようだ。

ドゥカーレ宮殿は国立マルケ美術館になっており、中でも「理想都市」やラファエロの「無口な女」などの絵画が有名だ。

外へ出て、レプッブリカ広場からローマ広場へと続くラファエロ通りを歩いていると、15世紀の偉大な画家ラファエロの生家に出くわす。彼が生まれた部屋では、若きラファエロが描いた聖母子像のフレスコ画を鑑賞することができる。

ラファエロ通りから、風通しの良いローマ広場に出ると、そこからは魅惑的なパノラマを望むことができる。

ウルビーノの大聖堂

ドゥカーレ宮殿

ラファエロの生家

Palazzo Ducale e Galleria Nazionale delle Marche
（ドゥカーレ宮殿と国立マルケ美術館）
パラッツォ・ドゥカーレ・エ・ガッレリア・ナツィオナーレ・デッレ・マルケ
[住] Piazza RInascimento 13, 61029, Urbino
[電] 0722. 2760
[料] 8ユーロ
[営] 8:30 ～ 19:15
（月曜は8:30 ～ 14:00）
[休] 12/25、1/1

聖堂は異なる時代に建てられた2つの教会が重なってできている

Patrimonio mondiale 36

アッシジ、フランチェスコ聖堂と関連修道施設群

2000年登録／文化遺産 i ii

ウンブリアの奇跡

ウンブリアには美しい町がたくさんあり、その連なる町はまるで宝石が繋がったネックレスのようだ。今、私はスバシオ山の麓にいる。最後のネックレスの玉は、もっとも輝いていて、もっとも貴重だ。それがアッシジである。

この町について語るとき、神聖という言葉を使わずにいられない。聖人フランチェスコの心から湧き出る、善良で愛情のある光を放つ。町のすべての建物、広場、通りが神秘的な光で満たされている。静寂な町の中で、キラキラと水をたたえる噴水では鳥がさえずり、水浴びをしている。家屋はグッビオの町と同じように、玄関口に小さな「死者の扉」[※1]がついている一方で、窓やバルコニーは赤いゼラニウムの花がたくさん飾られていて、それはアッシジの人たちの親切心の証なのかもしれない。

現代まで残されている様々な文書から、ローマ時代、アッシジはとても繁栄していたことが分かっている。中世にはギベッリーニ派だったアッシジはペルージャと常に激しい内部闘争を繰り返し、混乱していた。憎しみや野心、対立が沸き上がる時代、平和と友愛を説くフランチェスコの声がすべての人々の間に響き渡った。

※1 死者は家のこの扉から運びだされ、その死者が戻ってこないように扉を閉めて固定される。

大聖堂から聖フランチェスコのメッセージ

アッシジの町とその近郊をよく見て回るには、最低でも2日はかかる。天気の良い朝、まず一番に訪れるべきはサン・フランチェスコ聖堂。渓谷の斜面に建つ巨大な教会は桁外れに大きな拱門（きょうもん）によって支えられている。建物は斜面を利用した構造となっており、教会は上下2段になっている。

イタリアの守護聖人でもある聖フランチェスコは、裕福な商人の家に生まれ、活発で知的な人物であった。神に仕える人間の模範として生きることに生涯を捧げ、軍事的な活動を一切、拒否したという。

フランチェスコは1226年の死から2年後、聖人となった。世界各地から集められた寄付によって、彼の弟子で

有名な伝説では、聖フランチェスコが小鳥に説教をしたという

アッシジは他のどの町よりも中世の町並みを残している

ある修道士エリーアが聖堂を建てた。

　当時、有名な芸術家たちが競い合って建設に携わったため、町には信仰だけでなくすぐに芸術の花が咲いた。聖フランチェスコ聖堂は、世界でもっとも見事に信仰と芸術が融合した教会だ。

　下堂の中に入ってみよう。１２００年代に建設が始まった教会はロマネスク様式で、内部には光があまり差し込まないのが特徴的だ。チマブーエやルレンツェッティといった有名な画家のフレスコ画があり、それぞれがキリストや聖母の姿や聖フランチェスコ、聖マルティーノといった聖人の生涯を描写している。

　一方、上堂はゴシック様式。下堂と比べてとても明るく、奥に突き出たように細長い。チマブーエのフレスコ画に加えて、教会の壁には28の絵画がある。ジョットのフレスコ画も多く残っており、アッシジの貧しい人々の様子を描いている。静かにフレスコ画を1つずつ鑑賞しよう。広場に建つ聖堂の正面を外から鑑賞し、貴重な芸術作品が眠る部屋を訪ね、サン・フランチェスコ聖堂のツアーは終了する。教会の地下には聖人フランチェスコの墓があり、彼の墓は

サン・フランチェスコ聖堂の南側にあるサクロ・コンヴェント（聖なる修道院）

ほかの修道士たちの墓に囲まれている。

大きな靴でローマから東京へ

アッシジでは、大聖堂よりも驚くべきものに出会った。

私がアッシジを訪れたとき、ちょうどいろいろな人の靴が展示されていて、その中の1足に目がくぎ付けになった。よく見ると、「ローマから東京まで歩いて行った人の靴」とあるではないか！

ロベルト・バッシ氏は同郷のパイロットが初めてローマから東京まで直行で飛行することに成功したことに敬意を表し、同じルートを歩いて渡ることにしたという。そうして、歩き続けて、１９７2年8月10日、東京へ到着。その距離1万１０００キロ、要した日数は14か月、渡った国は12か国、そして履きつぶした靴は計5足とのことである。

所有していたのは12万リラ、リュック、そして帽子だけ。この帽子には様々な国を渡る中で、兵士や役人からもらったピンバッジが留められている。今では想像もつかないほど困難な地域を大きな登山靴で歩き通し、さらに戦争や自然災害のある地域も無事、通過している。そして、来たときと同じ靴で、彼はイタリアへ戻り、何事もなかったかのように普通の生活へと戻っていったという。

町のあちこちに宗教が根付いている

ロベルト・バッシ氏が最後に履いていた靴

Basilica di San Francesco
（聖フランチェスコ聖堂）
バジリカ・ディ・サン・フランチェスコ

［住］Piazza S. Francesco 2, 06081, Assisi
［電］075. 819001
［料］無料
［営］夏季（上堂）8:30～18:50
（下堂）6:00～18:50
冬季（上堂）8:30～18:00
（下堂）6:00～18:00

Patrimonio mondiale
37

ローマ歴史地区、教皇領とサン・パオロ・フオーリ・レ・ムーラ大聖堂

1980年、1990年（拡張）　文化遺産　ⅰ　ⅲ

ローマ世界最大の建造物、コロッセオ

永遠の都「ローマ」

ローマはキリスト教世界の首都になるまで、ローマ帝国の中心地だったことから、他のどの町よりも、古代の偉大な建造物が残る。

異民族の攻撃からローマを守るため、アウレリアヌス帝[※1]が270年から275年の間に建てたアウレリアヌス城壁は、現在もかなりの部分が保存されている。城壁の中では、アウグストゥス廟、サンタンジェロ城、パンテオン、トラヤヌスの記念柱、マルクス・アウレリウスの記念柱などがそびえたつ。もちろん、この偉大なローマの町に、サン・パオロ・フオーリ・レ・ムーラ大聖堂、そしてキリスト教徒にとって最大の崇拝場所であるサン・ピエトロ大聖堂があることを忘れてはいけない。

この場所は、人間の天才的な創造性と人類の歴史において重要な段階における証言であることが認められ、世界遺産に登録された。

※1 アウレリアヌス帝（214・275）…ローマ皇帝。危機に瀕したローマ帝国の再建に努め「世界の再建者」と評された。

世界最大の劇場、コロッセオ

現在、ここは静まり返っている。観光客の声や、アーチに反響する子供の叫び声がなければ、まさにコロッセオは死んだも同然だ。倒壊した巨大な階段には、最大5万人の観客が収容されていた。

70年、ウェスパシアヌス帝[※2]がユダヤから戻る途中、コロッセオの建設を始めた。この建設のために、彼は1万2千人のユダヤ人捕虜を雇ったが、完成することはできなかった。そして、彼の息子であるティトゥスが引き継ぎ、80年、5千頭の猛獣の生贄とともに完成を祝した。コロッセオという名前は、かつてこの近くに建っていた巨大なネロ[※3]の像「コロッソ（巨大な彫像の意）」からきている。

フォロ・ロマーノ

「来た、見た、勝った」の名言で知られるカエサルの銅像

建って間もないころ、コロッセオは美しかった。今、目の前にある遺跡とはまるで違う。壁は3つのリングが積み重なったような形で、空を仰ぐように大きくどっしりと構える姿は、まさに王冠そのものだった。

ここで、とある誰かの話をすると震え上がるだろう。2人の剣闘士がいる。1人は手に剣を持ち、もう1人は、敵を動けなくさせるための網を持っている。死闘の末、網をもつ者が敵に網をかけて捕らえ、そして地面へと叩きつけて馬乗りになると、短剣を取り出して、敵の首へ突きつけた。

それから、彼は叫び声を上げる観衆でいっぱいの円形闘技場を見まわす。殺すかどうか、観衆の返事を待っているのだ。観衆が親指を下向きにしたなら、つまり、それは敗者を殺せということ。剣闘士は喉をすぐさま短剣で掻き切り、敗者は血を流しながら地面へと倒れ込んだ。

そして、残念なことにもっとも血生臭いショーの時間がやってきた。観衆は何千人というキリスト教徒で、完全に無防備な犠牲者である殉教者が、獰猛な叫び声をあげる空腹の獣に翻弄されるというショーだ。殉教者の血は、死刑執行人にも観客にも新たな信仰の忠誠を広めることとなった。

そして、コロッセオの衰退がはじまった。あまりにも多くの残酷な光景に喜びを見出した人がいなかったからだろう。あるエピソードがある。2人の剣闘士が激しい戦いを繰り広げているとき、突然、キリスト教の修道士が闘技場へ侵入し、彼らがもつ武器を奪おうとしたが、修道士は殺されてしまった。この出来事が、ホノリウス帝にこの上ない暴力的なパフォーマンスを永久に禁止することを決意させたのだ。修道士が払った犠牲は、身の毛もよだつようなおぞましい光景からコロッセオを解放した。

それにしても、コロッセオをこんなに傷めたのは誰？

それは、争いを続ける人々と、天候、そして老朽化による倒壊……。526年には、東ゴート王トーティラ率いる異民族が、武器のため石と石をつなぐ金属を盗むため、壁のあちこちに穴を開け、コロッセオの大部分を壊した。1349年には大地震により、一か所が完全に倒壊してしまった。もはや採石場となり、17世紀、バルベリーニ家が大部分を使って宮殿を建てた。18世紀には、売春婦や泥棒の待ち合わせ場所という様だ。


いつ、コロッセオは完全に死ぬんだろう？ 皆にとっても、それがずっと遠い未来に起こることを願っている。その理由は……。

「コロッセオがある限り、ローマは生き続ける。コロッセオが崩壊すると、ローマは崩壊する。ローマが倒れると、世界が倒れる」（8世紀、ベーダ・ヴェネラビリス）

※2 ウェスパシアヌス帝（9・79）…ローマ皇帝。内乱のため炎上したカピトリヌス神殿の再建やコロッセオなどの建設を行い、帝国に秩序と繁栄を回復させた。
※3 ネロ帝（37・68）…ローマ帝国第5代皇帝。疎ましくなった母親をはじめ、妻、幼少期の家庭教師セネカを殺害、ローマ大火の犯人としてキリスト教徒を迫害するなど、暴君として有名。

コンスタンティヌスの凱旋門

Colosseo /Anfiteatro Flavio
（コロッセオ／フラウィウス円形闘技場）
コロッセーオ／アンフィテアトロ・フラーヴィオ
[住] Piazza del Colosseo, 00184, Roma
[電] 06. 39967700（月～金9：00～13：00／14:00～17:00、土曜9:00～14:00）
[料] 16ユーロ（2日間有効（入場は1回のみ）、フォロ・ロマーノと共通券）
[営] 8:30～16:30
(1/2～2/15、10月最終日曜～12/31)
8:30～17:00（2/16～3/15）
8:30～17:30（3/16～3月最終土曜）
8:30～19:15（3月最終日曜～8/31）
8:30～19:00（9/1～9/30）
8:30～18:30（10/1～10月最終土曜）
[休] 1/1、12/25

Patrimonio mondiale
38

ヴィッラ・アドリアーナ

1999年登録／文化遺産 ⅰ ⅱ ⅲ

敷地内にはリスやアヒルが生息している

別荘には約30の建物がある

Villa Adriana
（ヴィッラ・アドリアーナ）

[住] Largo Marguerite Yourcenar 1, 00019, Villa Adriana, Tivoli (RM)
[電] 0774. 382733
[メール] villa.adriana@coopculture.it
[料] 10ユーロ（毎月第1日曜は無料、3/8女性のみ無料）
[営] 2月　8:30～18:00
3月・4月　8:30～19:00
5月～8月　8:30～19:30
9月　8:30～19:00
10月（サマータイム中）　8:30～18:30
10月（サマータイム終了後）～1月　8:30～17:00
[休] 1/1、12/25

ヴィッラ・アドリアーナに見る古代ローマの栄華

昔から豊富な水源をもつことで知られるティヴォリは、近代的なスパだけでなく、ローマ時代の浴場跡も残している。紀元前1215年頃に設立されたこの町は、すぐにローマの勢力圏へと入り、ローマ時代の円形闘技場、ウェスタ神殿、シビラ神殿など、数多くの遺跡が残る。

これらの中でもっとも素晴らしい遺跡は、間違いなくヴィッラ・アドリアーノだろう。118～138年にかけてローマがいかに偉大かを示すためにハドリアヌス皇帝が建設した。別荘はオリーブやオークの木などのある穏やかな自然の中にある。約120ヘクタールの面積を占める敷地内ではリスやアヒル、カメなどが生息しており、記念碑のような建物、美しい庭園、温泉や神殿へと続く池などがある。どれも贅を尽くしており、ハドリアヌス皇帝のお気に入りのものだったとか。別荘は、エジプト、ギリシャ、そしてローマの建築における最高の要素を組み合わせてできており、古代地中海の文化を最高の表現でまとめ上げた傑作であると考えられ、世界遺産に登録された。

ティヴォリのエステ家別荘

2001年登録／文化遺産

噴水で飾られた庭園は音楽家や詩人に多大なインスピレーションを与えている

エステ家の別荘と豪華な庭園

ティヴォリは、ローマの無限に広がる田園地帯にある高貴で歴史ある町だが、水が豊かな町でもある。

エステ家のイッポーリト2世は枢機卿の座を手に入れたが、教皇の座を手に入れることはできなかった。そして1550年9月9日、彼は教皇領での隠遁生活を送るため、ティヴォリの町に入った。

もともと、修道院だった建物を住居として選び、その周囲に大規模な庭園を造るべく、建築家ピッロ・リゴーリオに委託した。運河、噴水、小さな滝を作るために、人工の地下道を作ってアニエーネ川の水を運んでいる。

贅を尽くしたエステ家の別荘の庭園を訪れると、夢のような水の王国にでも来た気分になるだろう。4・5ヘクタールという広大な庭園には何百という噴水の水がほとばしり、水に囲まれ、水があふれ、そして水が歌う光景にただただ驚くはずだ。

オルガンの噴水

これらの素晴らしい噴水をすべて作り上げるのに、20年という長い年月を費やしている。庭園には約500の噴水、250の滝、100の槽がある。

特に注目すべきは「オルガンの噴水」。噴水の内部にある自動演奏装置がオルガンの自動演奏を可能にした。演奏は、毎日、午前10時半から2時間ごとに約5分間行われるが、大雨でアニエーネ川の水位が上がった場合などは、数日間、演奏が行われないこともある。

私がオルガンの噴水へ向かった時には、すでに人だかりができていた。どんな音楽が鳴るのか楽しみでならない。演奏が始まったら、目の前にある扉が開き、その中では小さな人形が回るんじゃないかしら。想像が膨らんで待ちきれずにいると、演奏の時間を迎えた。

ところが時間が過ぎても、何も鳴らない。観客は一斉に自分の腕時計を確認している。目の前の扉が左右に開いたが、中にあるのはパイプオルガンのみ。観客全員が「シー！」とお互いに静粛を求め合っても、肝心の演奏は何も聞こえない。風の向きによって、かすかに何かの音が聞こえる。そうして、「演奏はまだなの？」と思っている間に、扉は閉まり、演奏は終了。少し、がっかり感は拭えない。

気を取り直して、最後にここを訪ねて旅を終えよう。ティヴォリには、乳白色をした湯が特徴的なアックエ・アルブーレ温泉がある。「アルブーラ」とはラテン語で「白っぽい色の水」という意味で、この温泉はローマ時代にはすでに存在していたのだとか。

百の噴水

ロメッタの噴水

オルガンの噴水

様々な噴水や植物は多くの庭園建設のモデルとなった

Villa d'Este
（エステ家の別荘）
ヴィッラ・デステ

[住] Piazza Trento 5, 00019, Tivoli (RM)
[電] 0774. 332920
[料] 10ユーロ
[営] 8:30 ～ 18:30
[休] 月曜

Patrimonio mondiale
40

チェルヴェーテリとタルクイーニアのエトルリア墓地遺跡群

2004年登録／文化遺産

地下に彫られた部屋で構成されており、6000以上の墓が発見されている

墓地におけるエトルリア人の文化

ここには、古代ローマ以前に住んでいたエトルリア人[※1]が築き上げた墓地がある。ただの霊園ではない。いわば「死者の町」だ。

世界遺産に登録されたのは、紀元前9～紀元前1世紀に造られたチェルヴェーテリにあるバンディタッチャ遺跡とタルクイーニアにあるモンテロッツィ遺跡の2つ。エトルリア人は死後も世界が続いていくと考えていたため、墓地とは死者の町。墓地には通りや広場もある。墓の中には絵の描かれた壁や扉、そしてベッドや椅子まであり、もはや一戸建ての家だ。壁に描かれた絵は、日常生活や葬儀にまつわるものがあり、彼らの死生観、精神などが垣間見える。他にも舞踊や狩猟、宴などの絵もある。

エトルリア人はいまだに謎に包まれているが、豪華な衣装を身に着け、飲酒や性生活において自由奔放だったことは有名である。古代ギリシャ人や古代ローマ人は、女性には社会的役割などなく、男性と同等に扱われるべきではないといってエトルリア人を批判していた。

※1　紀元前10世紀頃から、イタリア中部にある現トスカーナ地方に定住していた民族。紀元前3世紀、ローマに征服された。

チェルヴェーテリのバンディタッチャ遺跡

紀元前7世紀以前のものと考えられる墓は、岩の中を掘って造られており、井戸のようだ。約10万平方メートルの敷地には2000以上の墓があり、唯一、観光地として整備されている。バンディタッチャという名前は、1900年代初期、市が土地の名前を一般公募（バンディ）していて、次々と土地に名前がつけられていくことから、このエリアをバンディタッチャとよぶようになったという。

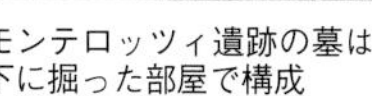
モンテロッツィ遺跡の墓は地下に掘った部屋で構成

カローンの墓（モンテロッツィ遺跡）。あの世へ通じる扉がある

屋根の墓（モンテロッツィ遺跡）

タルクイーニアにあるモンテロッツィ遺跡

私がやってきたのは、モンテロッツィ遺跡のネクロポリス。墓は古代ローマ時代の紀元前7世紀に造られたもので、いろいろな形状の墓、死者のいる光景、死後の世界を描いたフレスコ画がある。

入場口に一番近い墓から見ることにした。小さな入口から中に入ると、すぐに急な階段。人が1、2人しか通れないほど狭く、洞窟の中のようにひんやりしている。ゆっくり階段を降りると、その先に部屋がある。ガラス越しに見ても、はっきりとよく分かるフレスコ画が壁に残っていて、部屋の奥にはまた別の部屋があるのも見える。冷え冷えとした空気とも相まって、少し不気味にさえ感じる。

墓はあまりにもたくさんあるので、特に有名なものだけ紹介しておこう。

アルグルの墓(tomba degli Auguri)：紀元前540年に建てられた。山の形をした天井と長方形の小さな部屋があり、床には死者を寝かせていたベッドの2本の足跡が残っている。

雌ライオンの墓(tomba delle Leonesse)：紀元前520年に建てられた。天井は赤と白でチェス盤のような柄が描かれている。壁には6本の赤い柱が描かれている。まるで部屋のような墓で、奥にある壁の中央には、クラテル（葡萄酒を水で割るための器）の横に2つの楽器、左側に踊り子、右側に踊り子のカップルが描かれている。

雄牛の墓(tomba dei Tori)：性行為にふける人々の集団に気づいた2頭の雄牛とアキレウスがトローイロスを待ち伏せている図が描かれている。

カローンの墓(tomba dei Coronti)：紀元前250年から紀元前275年の日付が入っている。2つの異なった部屋へと導く2つの階段の先には、あの世への通路へと続く扉が壁に描かれている。扉の横には濃い毛と角、マントを持ち、冥土の川の渡し守である2人のカローンが描かれている。

オルクスの墓(tomba dell' Orco)：「ムリーナの墓」ともよばれ、エトルリア人の貴婦人ウェリア・ウェリカの肖像と、あの世におけるエトルリア人の守護霊「トゥクルカ」が描かれている。

浮彫の墓（バンディタッチャ遺跡）

戦士の墓（モンテロッツィ遺跡）

Cerveteri, Necropoli della Banditaccia
（チェルヴェーテリ、バンディタッチャ遺跡のネクロポリス）
チェルヴェーテリ、ネクロッポリ・デッラ・バンディタッチャ

［住］Piazzale Mario Moretti, 00053, Cerveteri
［電］06. 9940001
［料］8ユーロ（18歳以下は無料）
［営］8:30 ～日没の1時間前
［休］月曜、1/1、12/25、

Tarquinia, Necropoli della Monterozzi
（タルクイーニア、モンテロッツィ遺跡のネクロポリス）
タルクイーニア、ネクローポリ・デッラ・モンテロッツィ

［住］Strada provincial Monterozzi Marina, 01016, Tarquinia
［電］0766. 856308
［料］6ユーロ
［営］（冬季）8:30～日没の1時間前
（夏季）8:30～19:30
［休］月曜、1/1、12/25

3章
イタリア南部

Sud Italia

ナポリ歴史地区

1995年登録／文化遺産 ⅱ ⅳ

ナポリを真っ二つに分断するように延びる真ん中の通りがスパッカナポリ

ヴェスヴィオ山の影で

ナポリはヨーロッパでもっとも古い町の1つであり、現在の町の形をみると遠い過去からの道のりが、そのまま保存されていることに気づく。様々な時代の歴史ある建造物の豊かさと多様性、道路システム、そしてナポリ湾のある場所は、ヨーロッパ中に影響を与えた。

紀元前470年、ギリシャ人の入植者によって建市されたネアポリス（新しい都市）から、現在のナポリの町になり、ナポリはヨーロッパと地中海域で様々な文化の足跡を残した。これらはサンタ・キアラ修道院からヌオヴォ城まで様々な建造物があるように、非常にユニークである。

ナポリの中心地は、ヨーロッパ最大の歴史地区として世界遺産に登録された。その唯一性は、ギリシャ人が造った古代の道路、そしてほぼ完全な状態で保存された町の中にみることができる。

矛盾の魅力

すべての町に魂が宿っているといわれる。これが本当なら、あなたは世界中でナポリほど活気があり、大きく、豊かな魂をもった町はないと確信するだろう。

陽気で絵のように美しいエリアは、間違いなく「スパッカナポリ」。右の写真を見ると、スパッカ（分割の意）という名前のとおり、ナポリを西から東へ真っ二つに切り分けているような直線道路が見えるだろう。このスパッカナポリは、歴史的な建築物や土産物屋が集まる観光スポットになっている。

町は車の往来が多く、常に通りは渋滞気味だ。露店でにぎわう細い通りには、奇妙な商品が売られ、路地では洗濯物がはためいている。何も期待せずに歩いて出会うすべての通りの曲がり角、小さな路地の奥まったところに、突然、ナポリ芸術や美しい教会を目にして驚くことだろう。

ナポリでは何百とある教会、聖域、美術館の数を数えてリストアップするのはとてもできない話で、さらに考古学上の発掘調査、地下墓所、地下の町のことまで話しだしたら、きりがない。

これらの世界遺産だけでなく、ナポリは町を構成するものすべてが魅力的だ。日の当たらない路地の奥まで進むと突然海が見え、眩しいほどの光を浴びる。人の声でにぎやかな通りでは、とある夫婦がケンカしている。ナポリの人々、町の匂い、そして色……。町を構成するすべてがぐちゃぐちゃで、ある種のカオスがナポリの魂から溢れ、心から純粋な生きる喜びと活力を表している。

フランスのアンジュー家の城として建てられたヌオーヴォ城

サン・フランチェスコ・パオラ聖堂

ナポリ人とプレゼーペ

ナポリ人の趣味は音楽だと時々、耳にする。しかし、「趣味」を特定の関心と情熱を捧げる娯楽とするならば、18世

キリスト生誕の様子を再現したジオラマ「プレゼーペ」

紀におけるナポリ人の趣味はプレゼーペだろう。

プレゼーペは、ナポリの人々が発明したものと思われがちだが、最初に考えついたのはアッシジの聖フランチェスコだ。

ある年のクリスマスの夜、このアッシジの貧しい少年は、なんとかして魅力的な方法でキリスト降誕の美しい瞬間を思い出したかったのだ……。

彼は、グレッチョの町にある森の小さな教会の中に洞窟を作り、その中に子供の石膏像を置いたゆりかごを、周りには生きた牛とロバを置いた。シーンを完成させるために、チーズや鳩の供え物、ファイフ奏者やバグパイプをもった多くの羊飼いが周りに集まってきた。そして、その夜、小さな石膏の子供が、誕生の瞬間に聖フランチェスコに微笑んだと言われている。

それ以来、プレゼーペの習慣がイタリア、そしてスイス、ドイツ、フランスへ、さらに教会から、少しずつ一般家庭へも広がっていった。もちろん、生きた人間ではなく、木やテラコッタ、ロウソクの蠟などで作られた小さな像で再現されたキリスト降誕シーンである。

このプレゼーペで有名なのはスパッカナポリの真ん中にあるサン・グレゴリオ・アルメーノ通り。年間を通して多くの店が隙間なく軒を寄せ合い、キリスト降臨を再現するフィギュアだけでなく、家や橋といった付属品なども扱っており、かつて女王も訪れたがっていたという。

サン・グレゴリオ・アルメーノ通り

通りにあるプレゼーペの店

「ソッテッラーネア」地下に眠る古代都市を訪ねよう

ナポリの町の地下には、壮大な歴史と驚きに満ちた秘密の世界が広がっている。地下には、洞窟、水道橋、トンネルなど迷路のように複雑に入り組んだネットワークが広がり、町の喧噪からはほど遠い深さ40メートルの地の底にある。

地下に広がる神秘と魅力に満ちた道に沿って、2000年以上昔の歴史を旅しよう。古代ギリシャ人が建築物の建設に使用する凝灰岩を採掘するために町の地下を掘り始めたのは3世紀のことだった。その後、ローマ帝国の支配下になり、複雑な道路網と水道橋を備えた地下ネットワークが造られ、16世紀まで実際に使用されていた。

1800年代、ナポリの地下に秘密の世界があったことを知っている人はいたものの、その正確な姿を知る人はいなかった。そして、第二次世界大戦時、爆撃を受けたナポリ

ナポリ・ソッテッラーネア

では、地下に掘られたトンネルが、防空壕として何百人もの人々を保護した。

現在では、ガイド付きのツアーを利用して、この秘密の地下を訪れることができる。約2時間の旅で、第二次世界大戦の防空壕へとつながるギリシャ・ローマの水道橋や貯水槽、地震にもかかわらずネロ皇帝が劇を上演したという劇場跡を歩くことになる。それ以外にも、地下で植物を育てる実験が行われている本物の地下庭園、地震観測所「アリアンナ」を訪れることも可能だ。

聖ジェンナーロの血はどうして溶けるのか？　その起源は？

まず、最初に言っておかなければならない。ナポリの守護聖人ジェンナーロは、キリスト教に対する最後の大きな迫害の1つが起きた305年、ポッツオーリで殉教した。

彼の遺体は、その名前のついた有名なナポリのカタコンベ（地下の墓所）に埋葬されたが、後に、ベネヴェントへ、そしてモンテヴェルジネへ、最終的には1497年、再びナポリに戻ってきた。

最初に「血の融解」が起こったのは、聖人の体をポッツ

オーリからナポリへ移動させた330年頃だった。聖人によって視力を取り戻した盲人が、聖人の血の入った壺をナポリの司教サン・セヴェーロのところへ持っていったといわれている。

不意義なことに、司教の手に渡るとすぐ、固まっていた血液が溶け出した。それ以来、16世紀にわたって、この血の奇跡は5月と9月、年に二度繰り返され、小さなガラスの瓶に入った「血の融解」とともに聖ジェンナーロを囲む信者たちで熱気を帯びる。現在この奇跡は、どのように液体化するかによって町の命運を占うイベントとなっている。

聖ジェンナーロの乾いた血が保管されているナポリ大聖堂

彫刻と金箔の施された1500年代の木製の天井が圧巻

Napoli Sotterranea
(ナポリ・ソッテッラーネア)
ナポリ・ソッテッラーネア
[住] Piazza San Gaetano 68, 80138, Napoli [電] 081. 0190933
[メール] info@napolisotterranea.org
[料] 10ユーロ(ガイド付き、要予約)
[ツアーの時間](英語) 10:00 〜、12:00 〜、14:00 〜、16:00 〜、18:00 〜

Cattedrale di Santa Maria Assunta
(サンタ・マリア・アッスンタ大聖堂/ナポリ大聖堂)
カッテドゥラーレ・ディ・サンタ・マリア・アッスンタ
[住] Via Duomo 149, 80138, Napoli [電] 081. 294764 [料] 無料
[営] 月曜〜土曜8:30 〜 13:00 / 15:00 〜 18:30
日曜・祝日8:30 〜 13:00 / 16:30 〜 19:00

ケレスティヌスの赦しの祝祭

2019年登録／無形文化遺産

「赦し」という言葉は1294年9月下旬、教皇ケレスティヌス5世が出した教皇勅書からきている。

隠修ピエトロ・ダ・モッローネは1294年7月5日教皇ニコラウス4世の死から2年間の間「つなぎ役」として教皇に指名され、短期間で全世界に類まれなる遺産を残した。

教皇勅令には人の優劣、区別なく全人類に全体的かつ普遍的な赦しを認めると明記されているが、1つ条件があった。それは毎年8月28日、29日の夕暮れ時にコッレマッジョ大聖堂に入ることで、「心から悔い改め、告解したことになる」というものだった。

祝祭は1300年に教皇ボニファティウス8世が定めた聖年祭の前身であり、時が経つにつれ、8月の最後の週に行われる行事となった。現在、勅書はコムナーレ宮の礼拝堂で保管されている。8月28日、町の中心地では行進が行われ、夕方になると市長が勅書を読み上げ、枢機卿の命令でコッレマッジョ大聖堂の聖なる扉が開けられる。

Patrimonio mondiale
43

カルパティア山脈とヨーロッパ各地の古代及び原生ブナ林

2007年、2011年(拡張)、2017年(拡張)登録／自然遺産 ⅸ

カルパティア山脈のブナ林は2007年に世界遺産に登録されていたが、その後、ヨーロッパ諸国10か国にまで拡張、さらに2か国が追加された。

登録された63か所のブナ林のうち、10か所がイタリアにある。古代のブナ林の中で、特によく知られているカンピトーニャ国立公園にあるサッソ・ディ・フラティーノはイタリアで最初に自然保護区に指定された場所だ。ここは岩が多く、急峻な斜面をもつ形状のおかげで徒歩ルートがないため、森林は破壊されることなく、樹齢500年以上のブナの木が発見されている。

最も広大なヴァル・フォンデッロの保護区は、カッチャグランデとヴァッレ・ヤンチーノの2つの森で構成されている。後者は唯一、5つもの水源をもつ古代の森で、苔で覆われた岩場やブルーベリー、珍種のキノコなどに出会う。

これらのブナの林が過去数世紀における気候や人間の歴史の変遷を知る上で非常に重要であることが認められ、世界遺産に登録された。

ポンペイ、ヘルクラネウム及びトッレ・アンヌンツィアータの遺跡地域

1997年登録／文化遺産 ⅲ ⅳ ⅴ

宗教的、政治的中心となる広場「フォロ」と、ポンペイの守護神を祀る「ジュピター神殿」

恐ろしい噴火

西暦79年8月24日、午後1時頃、ヴェスヴィオ山が噴火し、栄えた2つのローマの町エルコラーノとポンペイは溶岩と灰の中に埋もれてしまった。

それは、ちょうど昼どきだった。太陽は海に照りつけ、また背後のヴェスヴィオ山とその麓のポンペイの町を照らしていた。山の上では煙が軽やかに揺れている。

ポンペイの町では、たくさんの人が通りを行き交い、店は混んでいる。通りのあちこちが神聖で尊く、優雅な女性の姿や奴隷の行列も見える。荷車が行き交い、通りは騒々しい音を立てている。

午後1時頃、ヴェスヴィオ山が噴火し、町はあっという間に煙で覆われ、真っ暗になった。その後も夜中まで火山灰が町の上に降り注ぎ、徐々にポンペイの町は地中に埋もれていった。

夜中、突然、ドーンと鳴り響いた爆発音。美しく、壮大で、それでいて恐ろしいヴェスヴィオ火山。山は燃え上がり、空高く火が噴き出し、あちこちに溶岩がほとばしる。

ポンペイの町はみるみるうちに砂漠となってしまった。かつてあったはずの別荘や神殿、活気のある通りは、もうそこにはない。ほんの少しの間に町のすべてが灰で覆われてしまったのだ。

それから、1900年あまりの時がたった。

ポンペイ遺跡の発掘調査が行われ、これらの灰から解き放たれたポンペイの町は、通り、広場、店、別荘……と、ほぼ昔の姿を取り戻した。ただ違うのは、どこもかしこも静まり返っているということだ。

パン焼き窯の家

ヴェトゥティウス・プラキドゥスの家とテルモポリウム（居酒屋）

ヴェスヴィオ火山の影に隠れたポンペイの歴史

これから、ポンペイ遺跡を訪ねよう。世界に1つしかない、すばらしい町だ。その時代を生きた人々の生活跡がほぼ手付かずのまま残っており、ポンペイ遺跡を訪ねる観光客をびっくりさせると同時に、動揺させる。

人間が生きていた跡とは何だろう？　浴場？　神殿？　それとも店？　これらはいかに町が裕福であったかを示す証であると同時に、衝撃的で、かつ残酷でもある。

今でも通りには荷車のわだちが残り、道路標識や看板もある。溝のような通りを渡るために交差点には大きな石が置かれていて、家には中庭や部屋がかつてのままの状態で残っている。壁には、つい見惚れてしまうほど美しいフレスコ画が描かれているが、一方でひっかき傷や石炭で何かを描いた跡もあり、そうやって政治やスポーツに対する情熱、自分の好き嫌いなどを表現していたそうだ。生活跡は

ポンペイのメインストリート「アッボンダンツァ通り」

無限に残されていて、パン屋の石窯の中には、当時のパンが残っていたし、並べられた昼食もそのままになっていたそうだ。

噴火の犠牲者の足跡は、町の最後の瞬間がいかに悲劇的か示している。時速100キロともいわれる火砕流に飲み込まれた人々の体は火山灰の中に埋もれ、被災者の体の部分が空になっていたため、その中に石膏を流し込むことで姿が再現されている。

灰に埋もれたポンペイの町に光を当てるのに、1748年から250年あまりの月日が費やされてきた。現在も発掘調査は続いており、これまでに発見されたのは町の5分の3という。少しずつ、さらに発掘は進められていくのだろう。

3つの遺跡、1つの遺産

ヴェスヴィオ山の噴火によって失われた都市はポンペイだけではない。ヘルクラネウム（現エルコラーノ）とトッレ・アンヌンツィアータも火山灰に埋もれて消え去った古代都市である。

商業都市として非常に栄えていたポンペイの遺跡は3つ

「フォロの浴場」これは、いわゆるサウナ

アポロン神殿跡の残る「アポロンの聖域」

犠牲者を石膏で型取りした「逃げる人々」

約5千人収容できる「大劇場」

ある遺跡の中でもっとも大きく、非常に広大なため、すべてを見て回るには数日を要する。

一方、ヘルクラネウムは、裕福なローマ人がその気候の良さと美しい自然に魅了されて、休暇を過ごしていたという高級避暑地である。実際、発掘されたヴィラは、海の方を向いて建てられている。

トッレ・アンヌンツィアータ遺跡には2つの邸宅と浴場がある。大きな絵や彫刻で装飾されたポッペア邸の豪華さは、ポンペイやヘルクラネウムよりもずっと素晴らしい。

Parco Archeologico di Pompei
（ポンペイ考古学公園）
パルコ・アルケオロジコ・ディ・ポンペイ
［住］Via Villa dei Misteri 2, 80045, Pompei
［電］081. 8575347
［料］15ユーロ
［営］9:00～19:30（最終入場18:00）
（土日8:30～）
11月～3月9:00～17:00
（最終入場15:30）（土日は8:30～）
［休］1/1、5/1、12/25

Scavi di Oplontis
（オプロンティス遺跡）
スカーヴィ・ディ・オプロンティス
［住］Via dei Sepolcri 1, 80058, Torre Annunziata
［電］081. 8621755
［料］7ユーロ（ボスコレアーレ遺跡と共通券）
［営］8:30～19:30（最終入場18:00）
11月～3月は～17:00（最終入場15:30）
［休］1/1、5/1、12/25

Parco Archeologico di Ercolano
（エルコラーノ考古学公園）
パルコ・アルケオロジコ・ディ・エルコラーノ
［住］Corso Resina 1, 80056, Ercolano
［電］081. 7777008
［料］11ユーロ
［営］8:30～19:30（最終入場18:00）
11月～3月は～17:00（最終入場15:30）
［休］1/1、12/25

scopri di più

キリストの涙

ローマ神話のワインの神バックス

ポンペイ遺跡「船エウロパ号の家」にあるブドウ畑。西暦79年当時と同じ場所で「キリストの涙」と同品種のブドウが栽培されている

ローマ時代にはすでに、その濃度と美味しさで有名だったラクリマ・クリスティ。ラクリマ・クリスティ（キリストの涙）とは、カンパーニャ州のDOCワインだ。ワインの名前については様々な伝説がある。キリストが隠者を訪問し、家を立ち去ろうとすると、そこにあった水がワインへと変わったとか。

別のバージョンでは、堕天使ルシファーが落下する間に、持ち去った天国の一部を落とし、そこにナポリの街ができた。その後、ナポリは繁栄するが、人々の悪徳の数々にキリストが涙した、または天国の一部が持ち去られたことに気づいて涙した、さらにヴェスヴィオ火山の噴火に心を痛めて涙したともいわれている。何も植えられていない土地に、キリストの涙が落ちたところからラクリマ・クリスティのブドウのつるが生まれたという。

ラクリマ・クリスティは昔、修道士たちによって生産されていた。その修道院はヴェスヴィオ山の斜面に建っていたという。

果実の風味とミネラル感がたっぷりでありながら、すっきりとした味わい。ほのかに感じる辛味と酸味は、キリストの涙の味なのかも。

Patrimonio culturale intangibile

45

肩で担われる巨大な構造物の祭礼

2013年登録／無形文化遺産

ヴィテルボの聖ローザのロウソク祭り

地中海エリアに根付く伝統

「肩で担われる巨大な構造物の祭礼」とは、地中海エリアにおける伝統に深く根差した宗教的なお祭りで、巨大な山車を何百人という人々が肩で担ぎながら町中を練り歩く。

この世界遺産項目を構成しているのは、Festa dei Gigli di Nola（ノーラのユリ祭り）、la Varia di Palmi（パルミのヴァリア）、Faradda dei Candelieri di Sassari（サッサリの巨大ロウソク祭り）、Macchina di Santa Rosa a Viterbo（ヴィテルボの聖ローザのロウソク祭り）の4つの祭礼。この種のイベントの中で、これらの祭礼が特にユニークなのは、祭礼が守護聖人に捧げられたもので、町を練り歩くことにある。その上、山車は高さ30メートル、重さ5トンに及ぶものもあるなど、一度見たら忘れられないほどインパクトが強い。

山車は町の住民に何世代にもわたって伝えられてきた儀式に従い、訓練された何百人という担ぎ手の肩に乗せられて、町の中を進んでいく。

Patrimonio mondiale

46

カゼルタの18世紀の王宮と公園、ヴァンヴィテッリの水道橋とサン・レウチョの邸宅群

1997年登録／文化遺産 ⅰ ⅱ ⅲ ⅳ

長さ529mあるヴァンヴィテッリの水道橋

有名なカゼルタ宮殿

目の前にある巨大な建物は想像を絶するほど美しい。どれだけ大きいのか知ってもらうため、ここにいくつかの数字を書いておこう。宮殿は時代の異なる新旧2つの住居で構成され、長さ247メートル、幅184メートル、高さ36メートルと東京ドーム約3・5個分の大きさ。そこには4つの大きな長方形の中庭、階段は34か所にあり、さらに1200室の美しい部屋、地下1階から5階まである建物に配置された窓の数は1970。

そもそも、カルロス3世がこの宮殿のある敷地を購入するのに489・348ドゥカート払ったのに比べて、建設には600万ドゥカート以上の費用を費やしているのだから、どれだけ莫大な費用を投資したか分かるだろう。

正面玄関を通り、八角形のホールまで歩く。庭のもっとも奥まったところには、噴水や滝のある公園があり、その活き活きとした景色が目に飛び込んでくる。右側には大理

石の大階段があり、116段の階段を上がるようにと誘っているようだ。大理石が美しい2階のホールの先には、円天井を支える柱の列が並ぶ。おそらく、かつて王の言葉を仰ぐためにやって来た人々は皆ここで立ち止まったことだろう。金の装飾が施され、宮殿の教会への入口がある。すぐ左側には王の私室や大きなホールが並ぶ。周囲のざわめきに耳を澄まし、あたりを見渡すと宮殿での過去の風景、生活が目の前に広がっていくようだ。

私はかつらとトリコーンハット紳士の集団に囲まれている。彼らは王に会うために待っているのだ。その間、小さなグループを作っておしゃべりし、壁に沿って並ぶ案内人に何か聞いている人もいる。王の私室の入口に案内人が現れる。彼はある子爵の名前を呼び、彼を案内して王座の間へと歩き出すのだ。私も一緒についていくことにしよう。

漆喰、大理石、彫像、タペストリー、フレスコ画で豪華に装飾され、鏡や豪華な家具が備え付けられた槍兵の間や近衛兵の間といった部屋が並ぶ。宮殿内の見回りを済ませたばかりで威張った侍従長に続き、近衛兵に出会う。幸いなことに、彼らは私に気づいていないようなので、様々な部屋の前を通り過ぎ、すでに王座の間にいる子爵のところへと向かおう。

あ！　あそこに王がいる！　両脇に居並ぶ閣僚や評議員たちを従え、王は玉座に座っている。案内人が子爵の名前を大きな声で呼ぶと、彼は王の前でひざまずき、弓のようにひれ伏した。

今、私は王の私室にいる。少し休憩をして、興味の赴く

夏の間。シャンデリアはベネチアンガラス

一枚岩の大理石でつくられた大階段

ジョアシャン・ミュラの寝室

まま、寝室や浴室、書斎を見に行こう。不思議と、ここには女性がいない。女王はどこに住んでいるのだろうか？ 1人の女性が目の前が通り過ぎ、こちらを見て微笑むので、彼女についていくと旧宅へと導いてくれた。ここには豪華な部屋が並んでいる。春から夏、秋、冬の間と呼ばれる4つの部屋の天井にはそれぞれの季節を表す見事なフレスコ画が描かれている。

しかし、これらの部屋はガランとしているようだ。豪華な絵画のある部屋を横断すると、1万冊を超える書物を所蔵する図書室に到着する。そして、18世紀、ナポリでもっとも熟練した腕をもつ芸術家たちによってつくられた1200体の羊飼いや動物などの像が並ぶプレゼーペの間へ。

まだまだ何十という部屋がある。しかし、ここで下へ戻って、公園を訪れることにしよう。1階に下りると、劇場がある。外に目をやると、中庭を横切る王の近衛兵たちがいる。

ええ!? 少し混乱してしまった。というのも、彼らは近衛兵ではなく、宮殿の左手にある空軍士官学校に通う生徒たちだったのだ。どうやら私は空想の世界に浸り切ってしまっていたようだ。

王室図書室（第3室）

プレゼーペの部屋

Reggia di Caserta
（カゼルタ宮殿）
レッジャ・ディ・カゼルタ

［住］Viale Douhet, 2/a, 81100, Caserta
［電］0823.448084
［料］14ユーロ（宮殿と公園）、10ユーロ（宮殿のみ）、3ユーロ（宮殿のみ17時以降の入館）、9ユーロ（公園のみ）
［営］宮殿8:30～19:30（最終入場19:00）
　　公園8:30～18:00
　　（※最終入場は月により変更）
［休］宮殿、公園ともに毎火曜
※公園の最終入場時間
1、2月　8:30～14:30
3月　8:30～16:00
4～9月　8:30～18:00
10月　8:30～16:30
11、12月 8:30～14:30

Patrimonio culturale intangibile

47

移牧、地中海とアルプスにおける遊牧ルート上の季節性家畜追い

2019年登録／無形文化遺産

移動する牛や羊のための通りを示す標識

15世紀半ば、アブルッツォ州では人口の半分である3万人の羊飼いが移牧を行っていた

現在、イタリアでの牧羊は約620万頭

古代からつづく羊飼いの慣習

移牧とは、地中海域とアルプス域において、より良い気候条件の場所へと向かって季節的に牛や羊を移動させる伝統的な慣習で、そのルーツは先史時代にまで遡る。

移牧は夏の終わりに行われ、動物が冬を過ごすのに適した地域、かつ巨大な牛や羊の群れを養えるだけの大きな牧草地を求めて移動する。そして初夏の訪れを感じる頃に、涼しい牧草地を求めて再び移動する。

羊や牛の大群は、トラットゥーリとよばれる家畜の群れの大移動によって自然にできた広い山道を歩き、専用に設置された停泊地で休憩をとりながら、数日間の旅を続ける。

動物の健全な繁栄と季節のリズムを尊重した移牧は、急速なグローバル化によってもたらされる課題に直面しながらも、持続可能であるという並みはずれた畜産の例であることが認められ、オーストリア、ギリシャとともに無形文化遺産に登録された。登録されたのは、アルプスからプッリャ州のタヴォリエーレ平野までとイタリア全土が含まれているが、特に象徴的な場所として、地震で大きな被害を受けたアマトリーチェをはじめとする約10か所が示されている。

Patrimonio mondiale

48

アマルフィ海岸

1997年登録／文化遺産 ⅱ ⅳ ⅴ

アマルフィという地名は諸説あり、ローマ人の苗字アマルフィアが由来ともいわれている

人間の力と自然が生んだ美しい海岸

アマルフィ海岸は、カンパーニア州の険しい海岸地域で、ソレント半島の南側にある。そこには白い建物が立ち並び、古くから陶器の町として有名な「ヴィエトリ・スル・マーレ」からアラブの影響を強く受けた「ポジターノ」まで、13の町がある。曲がりくねった海岸沿いを走る国道163号によって、岩礁にはりついたような町は繋がっている。レモン街道とよばれるこの国道を走ると、紺碧色のサレルノ湾を見渡す大パノラマとレモンの段々畑が交互に目に飛び込み、町に点在する建物からはアラブ様式のエキゾチックな雰囲気が感じられる。

海と山の間にはめこまれた宝石「アマルフィ」

美しい海岸線の旅は、ここ「アマルフィ」から始めよう。中世の町並みを今も残す漁師の町だ。崖に張り付いたような美しい家々が目に飛び込んでくるが、中心地に行けば行くほど建物が密集していて、小さな路地と路地が迷路のように張り巡らされている。

ここで訪れるべきは、アマルフィ大聖堂。9世紀に建てられた大聖堂は、聖人アンドレアに献納された教会である。急な大階段を上がると、1875〜1894年に改装されたアトリウムへと辿り着く。教会の中を覗くと、1700年代初頭に改装されたバロック様式だ。天井には、フランチェスコ・ゴーリによる彫刻や、アンドレア・ダステによる「キリストの鞭打ち」などの絵が描かれている。この教会は何度も改装が繰り返された結果、1つの教会でありながら、様々な様式が混在している。

大聖堂のアトリウムからは「天国の回廊」に行くことができる。1268年に建てられたアラブ様式のこの回廊は、アマルフィに住む著名人の墓地として建てられた。

アマルフィ大聖堂のアトリウム

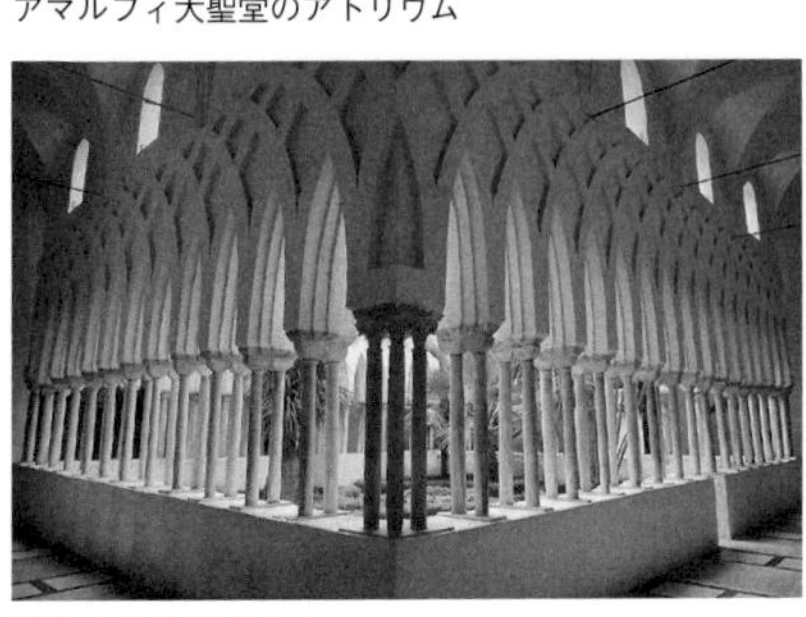

墓地の「天国の回廊」

エメラルドが眠る町「コンカ・デイ・マリーニ」

海沿いの旅を楽しむなら、「エメラルド洞窟」ははずせない。

1932年に発見されたエメラルド洞窟は、発見された当初、中が乾いたただの空洞だった。しかし時が経つにつれ、海の水がこの洞窟を占拠しはじめ、現在、何とも言えぬ美しい光景を生み出している。洞窟の名前は、岩の隙間や穴から差し込む光が反射して、エメラルド色に輝く水の色から名づけられている。

洞窟の中は鍾乳石でできており、水の中からまっすぐに伸びている石筍の中には、海面から10メートルの長さをもつものもある。そして、洞窟を入って4メートルほどのところには、陶器で造られたプレゼーペ[*1]が水中に置かれている。

洞窟を出ると目の前に群青のティレニア海が広がる。見渡せば海の青と、町を覆うようにそびえる山の緑が目に入

アマルフィ大聖堂はアラブ様式のエキゾチックな雰囲気を感じさせる

る。町を散歩していると、真っ白で小さな家々の間に迷い込んだような気分になるが、草木の深い緑色の中、ブドウ畑の白い果実があちこちで反射して光る光景が魅力的だ。

※1 キリスト誕生を人形で表したもの。

小さな島々が輝く「プライアーノ」

海岸沿いを進み、コンカ・デイ・マリーニの隣にあるのが、ここプライアーノだ。

関心を誘うのは、この町がもつ群島。シレヌーゼとよばれる群島は、ガッロ・ルンゴ島とトロンダ島、カステッッチョ島の3つの島からできていて、ひと気がなく、いちばん大きなガッロ・ルンゴ島はイルカの形をしている。これらの島を見渡す光景は、この世のものとは思えないほど美しい。

ほかには、サン・ジェンナーロ教会とプライアーノの塔が特に有名だ。前者は1400年代に建てられたもので、床がマヨリカ焼きでできた可愛らしい教会だ。教会の前にある広場からは、ポジターノ市を見渡す大絶景が堪能できるので、ぜひ訪れておきたい必見の場所。後者の塔は、もともとアラブ人の侵入から町を守るための要塞だった。

真珠のような輝き「ポジターノ」

この海沿いの町をめぐる旅は、ここポジターノで終わる。古き良き海の町のアンティークな香りが漂うポジターノは、サラセン人から逃れるために、パエストゥム（アマルフィ付近の町）の人々が作ったといわれている。

アマルフィ海岸沿いには、美しい町がたくさんあるが、ポジターノはファッションが世界的に有名な町で、1950年代後半から、この町独特のエレガントなファッションが普及した。また地元の職人が作る革製のヒールのないサンダルも有名。町のいたるところに多くの店が軒を連ね、その光景は、ポジターノが何よりもファッションで有名な町だということを物語っている。

アマルフィ海岸沿いにあるホテルやレストランのテラスからはサレルノ湾が見渡せる

町のあちこちに特産のマヨリカ焼きがある

特産のレモンを使ったパスタやリモンチェッロが並ぶ

中世の町並みを今も残す海の町「アマルフィ」

パエストゥムとヴェーリアの考古遺跡群やパドゥーラのカルトゥジオ修道院を含むチレントおよびヴァッロ・ディ・ディアーノ国立公園

1998年登録／文化遺産 ⅲ ⅳ

パエストゥムはマグナ・グラエキアでもっとも裕福な町の1つだった

国立公園にあるチレントの文化的景観

カンパーニア州最南端の地域、チレント。延々と連なる岩の斜面に絵のように美しい村が広がり、静かなビーチへと降りていくように家々が建っている。無形文化遺産に登録された地中海食も、この地域で生まれたといわれている。

チレントには自然の美しさがそのまま残っている。1990年には63種の動物と1800種の植物を有するチレントおよびヴァッロ・ディ・ディアーノ国立公園が設立され、1997年には生物圏保護区になった。先史時代や中世、地中海域に住む人々の政治的、文化的交流の跡を残しており、実際、2つの偉大な古代都市パエストゥムとヴェーリアの遺跡が見つかっている。

この地の地中海における居住地としての重要性、美しい自然の中に考古学的および芸術的遺産をもつ歴史上の重要性が認められ、世界遺産に登録された。

自然、考古学、そして神聖な建築の複合体「パエストゥム遺跡」

パエストゥムは紀元前6世紀、ギリシャ人によってポセイドンという名前で設立。紀元前273年、ルカーニア人[※1]によって占領され、さらにパエストゥムの名でローマの植民地となり、円形劇場や温泉が造られた。

長い間、密林と湿地の間の土の中に埋もれたままだったこれらの遺跡は1930年代、道路の建設工事がきっかけで、その存在を知られることとなった。

かつて、高さ7メートルもある円形の壁に囲まれ、4つの入口があった。ジャスティツィア門から入るとギリシャのパルテノン神殿よりも古いヘラ神殿がある。その先には、ギリシャの神殿の中でもっとも大きく、もっとも重要で、保存状態の良いドーリア式のネプチューン神殿、そして、ローマ時代のフォロやケレス神殿が現れる。西側にはギリシャ時代とローマ時代の住宅街がある。

ヘラ神殿から発掘された遺物は、パエストゥム国立考古学博物館で展示されている。特に有名なのは、紀元前480年頃、側板や蓋など5枚の石板で造られた棺。ダイバーの墓とよばれ、あの世を示す波に飛び込む男性が描かれている。

※1 イタリア南部バジリカータ州における先住民。

神殿内の壁の一部などが残っている

第2ヘラ神殿（ポセイドン神殿）

ケレス神殿（アテネ神殿）

Parco Archeologico di Paestum
（パエストゥム考古学公園）

パルコ・アルケオロジコ・ディ・パエストゥム

[住] Via magna Grecia 919, 84047, Capaccio Paestum
[電] 0828. 811023
[HP] http://paestumsites.it/
[料] 12月～2月：博物館4ユーロ
考古学公園5ユーロ
博物館＋考古学公園6ユーロ
3月～11月：博物館6ユーロ
考古学公園8ユーロ
博物館＋考古学公園12ユーロ
[営] 8:30～19:30（博物館）
8:30～19:30（考古学公園）
[休] 月曜（博物館のみ）
1/1と12/25（博物館と考古学公園）

地中海食

2013年登録／無形文化遺産

地中海食の調理法や食材、伝統などはイタリア文化の一部として有名

「ダイエット」

しばしば「地中海式ダイエット」と呼ばれるが、この場合のダイエットは理想とする体形を維持するために食事や運動を制限することではない。古代ギリシャ語由来の、「食」という意味。

2010年、イタリア、フランス、スペイン、ギリシャ、モロッコなど地中海に面している国々の「食事モデル」が無形文化遺産に登録され、2013年にはポルトガル、キプロス、クロアチアも追加された。地中海食は食べ物ではなく、地中海域の海の幸や山の産物を得つつ、世代から世代に伝わる知識から築き上げられたライフスタイルを指している。

仮説

「メディテッラン（地中海）」という言葉は、1950年代、アメリカ人の生理学者アンケル・キーズによって広まった。イタリア滞在中だったキーズは、ローマで開催された栄養学に関する会議に参加し、提示されたデータに魅了された。カンパーニア州周辺地域とギリシャのクレタ島における心臓血管疾患や胃腸障害の発症率が低いのだ。その理由と科学的な関係性を見出そうとキーズは夢中になった。
「食事の量や質が心血管疾患の発生に影響を与えている可能性が大きいのではないだろうか？」

オリーブオイル、トマト、パン、パスタ……

キーズ博士はイタリアへ移住した。1958年から日本、アメリカ、フィンランド、オランダ、イタリア、ユーゴスラビア、ギリシャ間で7か国共同研究を行い、各国における食事の違いや心血管疾患の発生率に及ぼす影響を調査した。そして、数十年の調査の後、食べ物の種類とライフスタイルが人間の幸福度の基礎となっているという結論に達した。
実際、地中海域の住民の中で経済的な格差、喫煙習慣、保険医療の不足があっても、虚血性心疾患や慢性疾患、がんなどの発生率が低く、1960年代初めには平均寿命が世界でもっとも高かった。
「地中海食」という具体的な料理はないが、食事のメインとなっているのは、野菜や果物、パン、穀物や豆類といった野菜由来の食品、デザートとして食べる新鮮な果物、ハチミツを含む菓子類、オリーブオイル、適度に摂取するチーズやヨーグルト、そしてワイン。

健康と地中海食

注目すべきは、特に地中海域ではオリーブオイルを豊富に用い、これが脂肪の主な供給源であること、新鮮な食材をバランスよく摂取していることだろう。
メタアナリシスでは、「地中海食を食べることは、全体的に死亡率、心血管死亡率、がん発生率、またはがんによる死亡率、パーキンソン病やアルツハイマー病の発生率の低下に有用であり、糖尿病発症のリスクが少なく、喘息や慢性関節リウマチの症状の改善、また子宮がんのリスク低下にも有用である」という結果が出ている。

ゆったりとした生活様式も地中海食の一部

ナポリピッツァの職人技

2017年登録／無形文化遺産

元祖ナポリピザの代表「マルゲリータ」

「ピザ」ではなく「ピザの作り方」が世界遺産へ

悲願だった世界遺産登録。ナポリの住民はピザを世界遺産にするための活動を実に8年にわたって行ってきたからだ。しかし、今回、登録されたのはピザではなく、ピザを作る職人技である。

ナポリのピザは、イタリアのその他の地域のピザと比べて薄く、縁の部分には空気が入って、ぷっくりと膨らんでいる。この伝統的なナポリのピザを作るには、生地を指先で押さえながら、円形に形を整える。それから、生地を上に放り投げたり、指で回したりしながら空気を含ませる。そうしてできたピザ生地を、薪をくべた高温の窯に入れて、1、2分で一気に焼き上げる。この技法が世代から世代へと約200年以上にわたって受け継がれてきた。

ピザの誕生

水と小麦粉を混ぜただけの単純な食べ物。伝統的にはピンサとよばれるが、これはラテン語で「平らにつぶす」という意味だ。そこから徐々にピッツァとよばれるようになり、こうして世界でもっとも愛される食べ物の神話が誕生した。ピザの起源は古く、紀元前６０００年頃のエジプトと言われている。

イタリアでは16世紀、ペルーからのトマト輸入とともに現在のようなトマトソースをかけた赤いピザが生まれた。もっとも古いとされるピザの原型は「チチェニエッリ」という小さな魚とオリーブオイル、ニンニクがのっただけのシンプルなものだった。

ユネスコによるとナポリには約3000人のピザ職人がいるという

トマトやオリーブオイルを使ったピザは健康食でもある

ナポリの伝統

水は酸性でもアルカリ性でもない。気候に応じて変化する塩加減。水に入ったままの水牛のモッツァレラチーズ。加熱せずに絞られたオリーブオイル。サン・マルツァーノ産またはヴェスヴィオ産のトマト。本物のナポリのピザを作るにはたくさんのものを準備しなければならない。

これだけではない。ピザの形にも定義がある。焼いた後のピザは直径35センチ以内、厚みは4ミリ。コルニチョーネとよばれるピザの縁の部分は、空気が入って膨らんでいなければならない。ナポリでは「真のナポリピッツァ協会」が置かれ、本物のナポリピザを守るために厳格に管理している。

代表的なナポリのピザはトマトソースとバジル、モッツァレラチーズがのったマルゲリータと、トマトソースとオレガノ、にんにくがのったマリナーラの2種類。

マテーラの洞窟住居と岩窟教会公園

1993年登録／文化遺産 iii iv v

マテーラのサッシは、家々が乱雑に立ち並ぶ円形劇場のようにも見える

石の領地

マテーラ市にはサッシ、つまり岩の中に彫刻された洞窟住居のある地区がある。

古代ギリシャの植民地だったころ、神殿が建設され、海の近くに石を積み重ねていき、町が作られた。この町こそが、現在のメタポント市とポリコーロ市だ。その後、マテーラ市が建設され、岩の中に彫られた教会が土に埋もれているのが見つかった。現在でもマテーラでは、古代から続く生活の悩みや困難、そして忍耐の必要さ、貧しさが象徴的に語り継がれているが、同時に独特な形をした町は、住民にとって永遠に誇りでもある。

1204年の文書には、「石だらけの町」と表現されているそうだ。マテーラで定住がはじまったのは、ずいぶん前のことだが、遡れば新石器時代といわれ、ローマ人やギリシャ人も多く出入りしていた。中世には城壁もあったという。ノルマン人支配のもと、城が建てられ、さらに16世紀になると最盛期をむかえ、サッシに移住する人が増えた。

岩の中に彫刻された町、マテーラ

ドゥオモ広場は町の全景を見渡せる高台にある。南側にサッソ・カヴェオーゾ地区、北側にサッソ・バリザーノ地区と2つあるサッシの間に位置しており、岩を掘って作った大量の小さな建物はこれらの地区にある。

「うわぁ！　目の前にあの有名なサッシが広がっている！」

ドゥオモの前にある手すりから眺めると、壮大なグラヴィナ渓谷が広がる。石灰岩の侵食で形成された渓谷には、何層にも重なった白灰色の岩に掘られた住居があり、その光景は驚くほど迫力がある。下の方を見ると、急勾配の渓谷へと真下に落ちていくように小さな家々が折り重なって見える。

ドゥオモの前にある階段を降りて、私は今、サッソ・カヴェオーゾ地区にいる。カヴェオーゾという名前は、ラテン語で「洞窟」や「洞穴」という意味の「カウェア」からきている。同じような家が上へ下へと積み重なるように建つ。その間に路地、坂道、階段があり、まるで迷路だ。家の屋根は、通りや広場のように見える。屋根やテラス、バルコニーが乱雑に並んだ迷路は、アーチや腕木で通りをふさいでいることもあり、簡単に道に迷ってしまう。テラスに立つと、そこから急な階段の形に変わり、歩いていると、どうやってサッシの外へ出ればよいのか分からなくなる。例えば出口のない空き地のようなところに出ると、そこは鶏が走り回る庭だったりして、扉口近くには女性が腰かけておしゃべりしていたり、編み物をしている女性がこっちをじっと見たりしている。

岩の中に食い込んだかのようなサンタ・マリア・ディドリス教会

崖と一体化するサン・ピエトロ・カヴェオーゾ教会

エッローネ山の岸壁にあるサン・ピエトロ・カヴェオーゾ教会の上方には、岩の中に半分だけ彫られた小さなサンタ・マリア・ディドリス教会があり、カヴェオーゾ地区のシンボル的存在だ。地下には何千年も前のフレスコ画が残っている。教会の残り半分は、１５００年代初め、円天井が崩壊したときに壁を作って閉じられた。

　サン・ピエトロ・カヴェオーゾ教会の前では、息をのむような景色に出会う。急勾配の渓谷の崖がものすごく近くに見え、圧巻の迫力だ。今、私はサッソ・バリサーの地区の下にいる。カヴェオーゾ地区よりもさらに絵のように美しく、風情がある。

　あっという間に時間が経ってしまった。そろそろ町の方へ戻ることにしたが、ここで気づいた。私は今、どこにいるのだろう？

かつてサッシには約2万人の人が住んでいたが、新しい区域や郊外へと引っ越していったという

遠くからでも圧倒的な存在感のサンタ・マリア・ディドリス教会

石積み芸術の知識と技術

2018年登録／無形文化遺産

石積み技術は専門家の間で保存、後世に伝えられている

田舎における伝統的な石積み技術

水やセメント、バインダーなど接着剤を一切使用せずに石垣をつくる石積み技術が、無形文化遺産に登録された。

イタリアの様々な地域、アルベロベッロにトゥルッリのあるプッリャ州から、岩や崖の多いリグーリア州まで、この技術を用いて石垣が造られている。石垣は特に農村地域や急な斜面をもつ居住地域に見られ、地域や州ごとに用途は異なるが、唯一の共通点といえば、世代から世代へと受け継がれたこの特殊なタイプの壁をつくる古代からの知識だろう。

石垣は農業や牛の飼育小屋のために使用されてきたが、先史時代からのその技術は現在にも活かされている。さらに石垣は地滑りや洪水、雪崩といった自然災害を防ぐだけでなく、地球の温暖化や砂漠化にも役立つ。

トレンティーノ州では、「水やいかなる接着剤も使わずに造る石壁の建設と修復における技術士」として専門家が認められ、専門学校もある。学校では、渓谷の斜面を特徴付けるテラスを生み出した石垣の歴史的、社会的、景観的価値をテーマに授業が進められる。

54 アルベロベッロのトゥルッリ

1996年登録／文化遺産 ⅲ ⅳ ⅴ

丘のゆるやかな斜面に立ち並ぶとんがり屋根のトゥルッリ

独創的なトゥルッリの都

そういえば、何かで読んだ。アルベロベッロは「まるでディズニーが創った東ローマ帝国」と。確かに小人や妖精が住む町のようだ。路地で小人たちが手をつないで踊り、小さな扉の前に小人の長老が腰かけ、森から帰って来る白雪姫を待っている。

実際、ここにはオークの木が茂る森が存在していた。それを意味するラテン語シルヴァ（森）・アルボリス（木々）・ベッリ（美しい）とよばれ、15世紀になってアルベロ（木）ベッロ（美しい）の名前がついた。

とんがり屋根をもつ家はトゥルッリとよばれ、「丸天井」を意味するギリシャ語からきている。もともとは動物の小屋として使われていた。

円錐形の屋根はキアンカレッレと呼ばれ、石灰岩を接着剤も使わずに、何重も積み重ねて造られている。壁もまた石灰岩の層でできており、そこにアーチ形の扉がついている。壁には衛生上、必ず石灰を塗らなければいけない。

グレーの屋根には、月や太陽といった自然を示す絵が白色で手書きされており、これは邪気除け、または幸運を願うシンボル。屋根の頂点にある石の小さなオブジェは建設した人のサインである。

トゥルッリでの生活

唯一のモニュメントはドゥオモだが、残念ながら普通の教会だった。むしろ、サンタントニオ教会のほうが期待どおりで、この教会には白い壁ととんがり屋根がある。

トゥルッリが密集するのは、リオーネ・モンテ地区とアイア・ピッコラ地区で、約1500軒ある。おすすめは、観光客向けに掲げられた看板の少ないアイア・ピッコラ地区。改装していないトゥルッリが多く、扉を開けっぱなしにしている家も多い。

アルベロベッロでもっとも高いのは、トゥルッリ・ソヴラーノ。2階建てで12の屋根をもつ。1700年代半ば、聖職者カタルド・ペルタが建て、現在、博物館になっている。

近代的なトゥルッリは土台が正方形で、町外れにある。未完成のまま放置され、時の流れで黒くなったトゥルッリも点々とあり、ブドウ畑やオリーブの木々の間で陽気にたたずんでいる。

屋根の上には石でできた小尖塔がついている

宗教的なシンボルの入ったトゥルッリの屋根

トゥルッリの群れを眺めると、アルベロベッロの町こそが1つのモニュメントのようだ

Trullo Sovrano
（トゥルッロ・ソヴラーノ）

［住］Piazza Sacramento 10/11, 70011, Alberobello, Bari
［電］080. 4326030
［HP］www.trullosovrano.eu/
［料］1.50ユーロ
［営］4～10月10:00～13:15／15:30～19:00
11～3月10:00～13:15／15:30～18:00

Parroccchia Sant’ Antonio
（サンタントニオ教会）

パロッキア・サンタントニア

［住］Via Monte Pertica 16, 70011, Alberobello, Bari
［電］080. 432. 4416
［HP］www.santantonioalberobello.it/

イタリアのロンゴバルド族：権勢の足跡（568-774年）

2011年登録／文化遺産 ⅱ ⅲ ⅳ

5世紀末、ローマ人が建て、ロンゴバルド人が使用した軍事基地のトルバ塔

ロンゴバルド時代の証言

この遺産項目はイタリアのロンゴバルド時代を証言する7つの建物で構成されており、北から南へ5つの州に点在している。

ローマ帝国を揺るがした多くの異民族集団の中でも、ロンゴバルド族は特別な役割を果たした。1世紀から移動を開始し、6世紀末にイタリアへ降下し、そのまま留まる。ロンゴバルド占領の中でももっとも重要なのは、ローマ帝国によって統一されたイタリアの、北部にロンゴバルド王国、中部にスポレート公国、南部にベネヴェント公国を建国したことである。その後も領土をめぐる侵略、戦争が絶えず、774年、カール大帝に滅ぼされると、イタリア統一は崩壊。現代も続く国の断片化はイタリアの特徴である。

ロンゴバルド族の権勢跡は異なる種類の建物にもかかわらず、イタリアの歴史的形成、中世ヨーロッパ文化の影響を示す代表的な遺産であり、キリスト教世界やゲルマン的価値観の中で6～8世紀の間にイタリアで誕生した国の重要な証言であることが認められ世界遺産に登録された。

大天使の出現

ロンゴバルド族の権勢の足跡は他の世界遺産のある場所からほど近い場所にあり、イタリアの美しい場所を発見する旅をさらに豊かにしてくれること間違いないので、ちょっと足を延ばしてほしい。

たとえば、アルベロベッロの近くにはカステル・デル・モンテのほか、サン・ミケーレの聖域がある。650年以降、ロンゴバルドの領土の一部となったモンテ・サンタンジェロの町を訪れよう。

ここには大天使ミカエルが現れたといわれる洞窟がある。中へ入ると暗く、黒い岩壁からは水が染み出している。大天使ミカエルは490年、492年、493年と3回現れたといわれており、それ以降、西洋全体の聖天使ミカエル信仰にとって礼拝地の中心となった。

祭壇の後ろには洞窟から滴る水が溜まっており、伝説では、この水には視力回復の力があるといわれている。

これまでに何百人もの巡礼者が訪れ、多くの教皇も訪れている。1216年、アッシジの聖フランチェスコも訪れているが、洞窟に入るには自分はふさわしくないと感じ、入口で足を止め、祈りを捧げ、十字架の印を石に刻んだといわれている。

大天使の洞窟教会へとつづく階段

大天使の洞窟

Santuario di San Michele Arcangelo
（サン・ミケーレの聖域）

サントゥアリオ・ディ・サン・ミケーレ・アルカンジェロ
［住］Via Real Basilica 127, 71037, Monye Sant' Angelo
［電］0884. 561150
［HP］www.santuariosanmichele.it
［料］無料
［営］7月～9月：平日 7:30～19:30
休日 7:00～20:00
4月～6月、10月：
平日 7:30～12:30
14:30～19:00
休日 7:00～13:00
14:30～20:00
11月～3月：平日 7:30～12:30
14:30～17:00
休日 7:00～13:00
14:30～19:00
［休］なし

カステル・デル・モンテ

1996年登録／文化遺産 ⅰⅱⅲ

完璧な八角形をしたデル・モンテ城

カステル・デル・モンテのミステリー

緩やかな坂道を歩いて、やっと辿り着いたカステル・デル・モンテこと、モンテ城。城の前の通りには、土産物屋が並び、小さな露店ではナッツ類やクラッカーを量り売りしている。

カステル・デル・モンテは神聖ローマ皇帝フリードリヒ2世によって、1229年から建設工事が始まった。ムルジェ台地の丘の上に建つ孤高の城は芝生の上に置かれた王冠のようで、遠いところからでもすぐにそれと分かる。

オリジナリティーに溢れた建築物として世界遺産に登録され、この八角形の形の城には8つあるすべての角に半円筒形の塔がついている。外観は石灰岩でできた大きな四角形の切り石でできており、下方にはすべての側面に片開きの窓が、上方には両開きの窓がついている。8つの塔は24メートルあり、最上階へ行くらせん階段が3つ付いている。

ゴシック様式のアーチのついた扉口から城に入ると、1

階には城の外観からもイメージできる八角形の中庭が高い壁に囲まれ、そこに8つの台形の部屋に入る入口がある。

8つの部屋の中でもっとも突き出た形をしている部屋は、らせん階段を上がった2階にある。この部屋はもっとも城が栄えていた時代の雰囲気を唯一残しており、外から差し込む光は窓を通り抜け、部屋を明るく照らしている。大きめの暖炉が置かれ、煙突もある。その先にらせん階段や風呂場もある。城の中にはほかにも、モザイク画やマジョリカ焼きのタイル、彫刻や絵、ふんだんに使用された大理石などがあり、外観から想像するよりもずっと豪華である。

すべての部屋に二連窓がついているが、1つだけエレガントな三連窓がついている部屋があり、そこからフリードリヒ2世が愛したアンドリアの町を見渡すことができる。この光景を見て、彼は何に想いを馳せていたのだろうか。

らせん階段を上がると、屋上に出る。アドリア海沿いに広がるアペニン山脈、ムルジェ台地に小さな町々が白い点となって散りばめられたパノラマに心を奪われる。

城は完璧なまでに規則的につくられている。これを築き上げた方法は今でも分かっていない。さらに八角形の8という数字も謎のままだ。要塞だったというなら、中世の城

中庭から上を見上げると、吸い込まれてしまいそうなほど澄んだ空が見える

城はオリーブやブドウの木々が茂るのどかな風景の中にある

にありがちな跳ね橋も堀、城壁もなく、この城の用途も分かっていない。また、このムルジェ台地の高台にぽつんと建っているのも不思議だ。魅力的な城カステル・デル・モンテはミステリーだらけの城でもある。

数字の8と城の形に秘められた謎

カステル・デル・モンテについては数々の伝説や神秘的な推測が飛び交っており、特にこの城の八角形という形に謎が残る。8という数字は建物の形だけではない。八角形の庭、8つの塔のほか、城の中には8本の草花、8枚の葉といったように8を意識した彫刻も残っている。フリードリヒ2世が建築物に8という不可解な数字を含ませたのはなぜなのか。

城の発注者であるフリードリヒ2世はかなりの博識者で、特に天文学と鷹狩り、数学に情熱を傾けていたといわれている。また、限りない知識欲と、多岐にわたる興味をもち、宗教に関して寛容な人物でもあった。実際、カステル・デル・モンテは、古代ローマを思わせる要素とイスラムの世界、北ヨーロッパの様式が絶妙に混ざり合い、非常に調和のとれた面白い城だ。

8という数字はキリスト教の象徴であり、神と人間は同じであることを意味している。一方、イスラム世界では、天国は8つの庭で構成されているとされ、8は非常に重要な数字なのだ。しかし実際、どのような意味をもって、この八角形の城を建てたのか、8という数字が意味するものは何なのかは誰にも分からず、謎は深まるばかり。

1セント硬貨

カステル・デル・モンテをすべて見てまわるのには、1時間もかからないだろう。八角形という独特な形をしている城は、イタリアで唯一、この城だけだ。城の形に秘められた8という数字の謎、城の中の構造や形がどんなものかなど、誰もが興味を示している。

イタリアで発行されている1セント硬貨の裏を見てほしい。忘れられがちだが、そこにはカステル・デル・モンテが描かれている。つまり、この城はイタリアにある建築物の代表として認められている証拠でもあるのだ。

城で唯一の3連窓。ここからアンドリアの町が見える

イタリアの1セント硬貨の表（右）と裏（左）

Castel del Monte
（カステル・デル・モンテ）

［住］Strada Statale 170, 76123, Località, Castel del Monte (BT)
［電］0883. 569997
［料］7ユーロ
［営］10～3月9:00～18:30
（チケット売り場は18:00まで）
4～9月 10:15～19:45
（チケット売り場は19:15まで）

Patrimonio mondiale

57

スー・ヌラージ・ディ・バルーミニ

1997年登録／文化遺産 ⅰ ⅲ ⅳ

ギリシャ神話では最初のヌラーゲを作ったのは大工ダイダロスといわれている

ミステリアスな先史時代の遺跡

石器時代から鉄器時代、青銅器時代と時代は移る。この青銅器時代の重要な証言ともいえるのが、ヌラーゲだ。

サルデーニャ島に見られるヌラーゲの遺跡群は、ヨーロッパにおける謎の3大巨石文明[※1]の1つだが、長い間、丘の上にあるただの石の塊としか思われていなかった。ところが、1950年代、考古学者ジョヴァンニ・リッリウによって島でもっと大きなスー・ヌラージ遺跡が発見されると、このヌラーゲこそが島における最初の文明の謎をひも解く鍵となった。

ヌラーゲとは、防衛を目的とした特殊な構造をもつ建物で、非常に熟練した技術で建てられている。島には数えられる限り、約7000のヌラーゲが点在している。

バルーミニ村のスー・ヌラージ遺跡はヌラーゲをもっとも完全な形で残した最大の村落遺跡で、先史時代、島で利用可能な材料と革新的かつ現実離れした建築技術を示す例として、世界遺産に登録された。

※1 ストーンヘンジ（イギリス）、カルナック（フランス）、ヌラージ（イタリア）はヨーロッパにおける謎の巨石文明。

バルーミニ村のスー・ヌラージを訪れよう

長い間、スー・ヌラージ遺跡を隠していた丘はブルンク・ス・ヌラージとよばれ、バルーミニを訪れる人の目にふれることはなかった。

通常、ヌラーゲは孤立した場所に建つ2階建ての円錐形の塔で、接着剤を使わずに巨石を積み上げて造られている。スー・ヌラージ遺跡は小さな塔、村を囲む円形の壁、そして50の円形の建物で構成される。中央の核となる部分は非常に保存状態がよく、その周囲には4つの塔と20メートルの深さのある井戸などをもつ要塞がある。

狭くて低い入口から神秘的なヌラーゲに入ろう。右側にニッチがあり、右手に刀を持って、敵を攻撃する準備のできた番人がここに立っていたのだろう。懐中電灯の光で内部の壁を照らす。見ると、大きな石の塊が上下に重ねて置かれており、高さ30メートルまで積み上げられている。もっとも古いヌラーゲは紀元前1500年頃に建てられたものだ。

塔の上では、敵が自分たちの村を脅かしていないか確認し、必要に応じて警報を発するために、火を使ってほかのヌラーゲにいる番人とコミュニケーションをとっていたという。一方、敵がやって来ると、要塞に集まった村の住人は窓からはしごをぶら下げてそこから降りていき、戦いに備えたという。

中央の核となる塔

住居と思われるヌラーゲ

ヌラーゲは壁と塔が複雑に配置されている

Su Nuraxi di Barumini
(バルーミニ村のスー・ヌラージ遺跡)

スー・ヌラージ・ディ・バルーミニ

[住] Viale Su Nuraxi, 09021, Barumini
[電] 070. 9361039
[料] 12ユーロ(スー・ヌラージ遺跡、ザパータ家の館、G.リッリウセンターの3か所共通券)
[営] 1〜2月、11〜12月9:00 〜 17:00
(最終のツアーは16:00開始)
3月9:00 〜 17:30
(最終のツアーは16:30開始)
4月、9月9:00 〜 19:30
(最終のツアーは18:30開始)
5〜6月、8月9:00 〜 20:00
(最終のツアーは19:00開始)
7月9:00 〜 20:30
(最終のツアーは19:30開始)
10月9:00 〜 18:30
(最終のツアーは17:30開始)
※ガイド付きツアー：約50分

テノール風の歌の口承伝承：サルデーニャ牧羊文化の無形遺産としての表現

2008年登録／無形文化遺産

知人の結婚式でテノール風の歌を歌うグループ「ラ・コンコルダ」

テノール風の歌とは何か？

テノール風の歌とは、サルデーニャ島で千年以上続く伝統的な牧歌。その起源を定めるのは難しく、人によっては約4000年前のヌラージの時代にまで遡るといわれている。

この長い歴史をもつ牧歌は4つの声で構成されたポリフォニー（多声合唱）で、主に羊飼いが歌っていたが、社会の変化に応じて徐々に羊飼いでない人たちも歌うようになった。もともと、暇つぶしや仲間の間での楽しみで始めた合唱だったと考えられているが、18、19世紀の伝統や、政治や失業問題など今日の社会テーマを強調するような歌もある。

現在、テノール風の歌はサルデーニャ島での生活に深く根付いており、小さなトラットリア[※1]やバール[※2]などで仲間同士で歌ったり、結婚式や祭りなどで歌われることも多い。

歌い手の大半はサルデーニャ島の北部、中央部に住んでいるが、年々、多くの若者が島から出て行くため、後世へ伝えていくことが難しくなっている。さらに膨大な歌のレパートリーの減少、牧羊文化の衰退といった問題とともに牧歌の存在そのものが危機に面している。

テノール風の歌に似たものは、モロッコやネパールにも存在しており、喉を使って歌う歌い方が似ている。特にコルシカ島に酷似したポリフォニーが存在しており、パギエッラとよばれている。

※1 小さなレストラン
※2 喫茶店

歌い手の多くはサルデーニャ中部のバルバージャ地方に住んでいる

幻想的な歌の世界

テノール風の歌は、イタリア語でカント・ア・テノーレとよばれ、音色や声の抑揚などを一定の調子で出すことから、ラテン語で「連続した」「絶え間ない」という意味をもつアド・テレノムから由来している。

男性4人グループが、ボーゲ（ソリスト）、バッス（バッソ）、コントラ（コントラルト）、メース・ボーゲ（メゾ）とよばれるパートに分かれ、それぞれが異なった声で演奏する。

歌のメロディーはボーゲがソリストとして詩や散文を歌う。ボーゲの最初の音を合図に、感覚で音節を察知し、ほかの3人が並行してコーラスをつけてポリフォニーを構築する。通常、自分の声と他3人の声を同時に聞くため、男性4人は片方の耳を手でふさぎながら歌っている。

この文章を読んだだけでは、サルデーニャのポリフォニーがどんなものか理解できないだろうし、きっと想像もつかないだろう。ただ、男性4人が織りなす深い歌声と豊かな音色が、「とても神秘的だ」とだけ説明しておこう。

パレルモのアラブ＝ノルマン様式建造物群およびチェファル大聖堂、モンレアーレ大聖堂

2015年登録／文化遺産 ⅱ ⅳ

圧倒的な大きさと豪華さを兼ね備えたパレルモ大聖堂

世界で唯一の様式

シチリア島が約200年にわたってアラブ支配を受けている間、パレルモの町には美しい宮殿やイスラム教寺院、庭園が建てられた。その後、11世紀になるとノルマン人[※1]により、これらの建物は再配置、改築された。イスラム教徒の職人技術を認識していたが、オリジナルが残されることはなかった。

このようにして独自のアラブ・ノルマン様式が生まれた。平面図がラテン十字形またはギリシャ十字形をした聖堂、ドーム型の屋根、ギリシャ人芸術家によるビザンティン様式のモザイク、馬蹄型のアーチやアラベスクといったアラビア装飾など典型的なアラブの要素をもつ。

ノルマン王国によるシチリア統治時代に市民用、宗教用として建てられた建物は9つあり、アラブのイスラム教世界とノルマンのカトリック世界という対立する2つの世界が見事に融合している。これらの建物は建築的かつ芸術的表現を新たに生み出しており、イスラム教やカトリック教、ユダヤ教、正教会といった異なる宗教起源をもつ人々の実り多い共存の証であることが認められ、世界遺産に登録された。

※1 スカンジナビアまたはバルト海沿岸に原住していた北方系ゲルマン人。一部はイタリアへ侵攻し、南イタリアにシチリア王国を建国した。

シチリア美術の傑作、モンレアーレ大聖堂

大聖堂の前に到着するやいなや、アラブ、ビザンティン、ロマネスクの影響を受けたノルマン様式建築の傑作、モンレアーレ大聖堂の壮大さにおののいた。

中に入ると、焼け付くような夏の暑さが嘘のようだ。古い柱で仕切られた3つの身廊、特に目を引くのが12世紀末から地元の職人によって作られ、金色の背景に新旧の聖書の物語を描いたモザイクで、身廊の壁を完全に覆っている。モザイクは総面積６５００平方メートルと、教会にあるモザイクとしては世界一大きい。

教会の奥、アラブ様式の大きなアーチに目をやると、驚くようなモザイクが見える。そこには巨大なキリストと聖母を囲む天使、聖人たちの姿がある。

教会の隣へ移動すると、もっと驚くべきものを目にする。それが12世紀に建てられたクロイスター（中庭付き回廊）だ。素晴らしい彫刻の施されたアラベスク調の柱がたくさん並び、四角い庭の角にはムーア様式の噴水、ヤシの木が優雅にそびえ立つ。エキゾチックで上品な回廊は、ため息が出るほど調和がとれており、まるで楽園に足を踏み込んだような錯覚に陥る。

教会奥の中央アプスに描かれたモザイク

現実離れした美しさをもつクロイスター

Duomo di Monreale
（モンレアーレ大聖堂）
ドゥオモ・ディ・モンレアーレ

[住] Piazza Guglielmo II 1, 90046, Monreale
[電] 091. 6404413
[料] 4ユーロ
[営] 夏季（4/1～10/31）
（平日）8:30～12:30／14:30～17:00
（祝日）8:00～9:30／14:30～17:00
冬季（11/1～3/31）
（平日）8:30～12:30／14:30～16:30
（祝日）8:00～9:30／14:30～16:30

ヴィッラ・ロマーナ・デル・カサーレ

1997年登録／文化遺産

この豪華な別荘の所有者はローマ皇帝マクシミアヌスといわれている

古代ローマの別荘

観光客をピアッツァ・アルメリーナという町に引き寄せるのは、「カサーレ」と呼ばれるエリアがあるからで、ジェーラ谷を下り、森の中を抜け、曲がりくねった小さな谷を通り抜けた6キロほどのところにある。

どうして、そこがそんなに有名なの？　と疑問に思うだろう。

そこには4世紀初めに建てられたという古代ローマの別荘がある。ローマ皇帝マクシミアヌス帝の別荘として建てられたもので、その後、建物は約150年間使用された。12世紀、ひどい洪水が起き、別荘はマンゴーネ山から流れ落ちた泥に埋もれてしまったが、1900年代に行われた発掘作業のおかげで、別荘に再び光が当たることとなった。

別荘はホール、風呂、50以上ある客間、中庭、聖堂などで構成されており、別荘内でもっとも大きな中庭は長さ40メートル、幅30メートルある。さらに、風呂はまるで温泉施設のように贅を尽くしたものになっている。運動場のついた微温水浴室や冷水浴室があり、様々な温度の湯が楽しめるようになっているほか、アロママッサージを受ける部屋もある。

贅沢なモザイク

私はまだ言っていないことがある。もっとすごいものがあるのだ。それは、ほぼすべての部屋の床に施されたモザイクだ。モザイクのある床は総面積3500平方メートル以上あり、古代ローマ遺跡の中で、もっとも保存状態が良く、邸宅というよりはもはや宮殿。

「キューピッドの漁師の間」「エロス神とパンの控えの間」「偉大なる狩りの廊下」「10人の少女の部屋」などとよばれる部屋があるが、最後の2つが特に有名。「偉大なる狩りの廊下」は60メートルもの長さをもつ廊下で、床には猛獣に立ち向かう様々な狩猟シーンが描かれており、闘技場で格闘させるべくローマへ輸送するために猛獣を船積みしていたり、売買したりしているシーンもある。

「10人の少女の部屋」の床には、ビキニのような衣装を来て踊ったり、遊んだり、走っている10人の少女がモザイクで描かれている。

この別荘を訪れたとき、床の上に組まれた骨組みや橋板などを見ても、驚かないように。これらは素晴らしいモザイクを保護すると同時に、高いところからモザイクを一望できるように作られているのだから。ただし、足元にはご注意を。

上：愛と交歓シーンのある寝室
中：体育場
下：10人の少女の部屋

Villa Romana del Casale
（ヴィッラ・ロマーナ・デル・カサーレ）

[住] Contrada Casale, 94015, Piazza Armerina, Enna
[電] 0935. 680036
[HP] www.villaromanadelcasale.it/
[料] 10ユーロ（毎月第1日曜は無料、3月8日は女性のみ無料）
[営] 4～10月9:00～18:00
11～3月9:00～16:00
7～8月の金・土・日曜9:00～23:00

ヴァル・ディ・ノートにおける後期バロック様式の町々（シチリア島南東部）

2002年登録／文化遺産 ⅰ ⅱ ⅳ ⅴ

山の女王とよばれるカルタジローネの町

ヴァル・ディ・ノートにおけるバロック様式の頂点

シチリア島南東部にあるヴァル・ディ・ノートの8つの町は、カルタジローネ、ミリテッロ・イン・ヴァル・ディ・カターニャ、カターニア、モディカ、ノート、パラッツォーロ・アクレイデ、ラグーザ・イブラ、シクリである。これらの町は1693年1月11日に起きた大地震によってできた瓦礫の上やその付近に、同年、再建された。現在の町の形は芸術的にも高い水準で行われた再建築の賜で、建物は後期バロック様式で統一されている。ヨーロッパにおける最後のバロック様式[※1]芸術の集大成であることから、8つの町が世界遺産に登録された。

ヴァルは谷という意味ではなく……

イタリア語を勉強した人は皆、ヴァルが谷という意味だとつい思ってしまう。だから、ノート谷？ と考えがちだ。実は、ヴァルとは谷という意味ではなく、アラブまたはのちのノルマン時代に、シチリア島のヴァル・ディ・マッザーラ、ヴァル・デモーネ、ヴァル・ディ・ノートの3つの行政区画を示す「ヴァッロ」の略語である。

※1 バロックとは、1600年代から1700年代中期に栄えた様式で、建築の分野では、時代の趣向に合わせた演劇性や芸術性と組み合わさり、その多様さや壮大さが特色である。建物には曲線が多く使用され、楕円やらせんといった複雑な形のものが多い。

溶岩石で造られた142段の階段は、マジョリカ焼きで装飾されている

サン・ジョルジョ教会（モディカ市）

バロック列車

ヴァル・ディ・ノートをめぐるための理想的な手段は、間違いなく車である。時間と必要に応じて、自由に簡単に移動することができる。だけど、線路から見える風景と比較すると、車が必ずしも利便性に優れているとは言えない。

バロック列車は、世界遺産に登録されたノート、シクリ、モディカ、ラグーザといった町を結んでいて、夏の間、数日間のみ走っている。壮大な大自然の中に敷かれた線路を走り、次の駅へ向かう前に、町の中心地を訪れることができるようにと、列車は駅で長く停車してくれる。

この列車に乗るのに、唯一、困難なことがある。それは毎年、出発地や期間、時間、費用などが異なることである。通常、列車は夏のシーズンに走り、同じ日に往復で旅行できるように工夫されている。

大自然を走り抜けるバロック列車

Patrimonio mondiale
62

アグリジェントの考古学地域

1997年登録／文化遺産 i ii iii iv

全長42.12m、幅19.69m、高さ11mのコンコルディア神殿

アーモンドの花が咲く町

紀元前580年に建設された古代ギリシャの植民都市アクラガス（現アグリジェント）は、紀元前5世紀、シラクーザとともにカルタゴ人[※1]を打ち負かしたことから栄華を極め、その輝かしい時期に多くの神殿が建てられた。その後、紀元前3世紀、ローマ人の到来により、町はアグリジェントゥムという名前になり、そしてゆっくりと容赦なく訪れる衰退の道を歩んでいった。現在、アグリジェントの町はアクロポリスを見下ろす丘の上にある。

地中海でもっとも貴重な町の1つとなったアクラガスの、その優位性と誇りは、ドリス様式の壮大な神殿を見れば一目瞭然。それらの大半は今もなおオリーブとアーモンドの木が植えられた農地に浸るように無傷のまま残っており、アーモンドの花からほのかに甘い匂いが漂う。神殿の谷では毎年2月下旬頃、アーモンドの花祭りが開かれる。

ギリシャ芸術と文化においてもっとも重要な建築物の1

つを受け継ぎ、その例外的なまでの保存状態の良さが認められ、世界遺産に登録された。

※1 現チュニジア共和国の首都チュニス付近にあった古代都市とその住民。

神殿の谷間に生きるドーリア人

アグリジェントを訪れる人は誰もが、神殿の谷から出発する。日没時にアクロポリスを鑑賞する機会があれば、ぜひ見に行ってほしい。太陽が古代のドリス式柱を金色で覆い、その光景は本当にエキゾチックで唯一無二だ。

神殿の谷には7つの神殿遺跡があり、すべてドーリア式。コンコルディア神殿に到着すると、紀元前5世紀に建てられたエレガントで印象的な神殿は基壇の上に34本の柱がある。6世紀、キリスト教の聖堂に転用されたため、一連の神殿の中ではもっとも保存状態が良い。

この訪問ではヒメラの戦い[※2]におけるカルタゴ人への勝利を祝うために建てられたゼウス神殿を外すことはできない。長さ113メートル、幅56メートルのこの神殿は実際には完成することはなかったが、古代における最大の神殿の1つだった。

そのほか、普段は結婚の祝宴に使われていたが紀元前406年にカルタゴ人たちが火を放ったというユーノ神殿や、地震による損壊で、現在は8本の円柱のみが残るヘラクレス神殿などがある。ヘラクレス神殿は7つの神殿のうちではいちばん古いものである。

※2 紀元前649年頃、シチリア島の北岸に建てた植民市ヒメラで起きたシュラクイ軍（シラクサ）とカルタゴ軍の戦い。アクラガス（アグリジェント）の僭主テロンがヒメラの僭主テリルスを追放し、テリルスがカルタゴに援助を求めたことによって始まった。

町からもっとも離れたところにある孤高のユーノ神殿

Parco Archeologico Valle dei Templi
（神殿の谷考古学公園）
パルコ・アルケオロジコ・ヴァッレ・デイ・テンプリ

[住] Via Panoramica Valle dei Templi 31, 92100, Agrigento
[電] 0922. 621611
[料] 10ユーロ
[営] 8:30～19:00

パンテッレリーア村における伝統的農事「ヴィーテ・アド・アルベレッロ」（仕切られたブドウの株）

2014年登録／無形文化遺産

この栽培方法はフェニキア人によって導入されたといわれる

古代の栽培技術「ヴィーテ・アド・アルベレッロ」

雨があまり降らず、湿度が高く、そして風が強い。そんな過酷な気象条件のもとで行われる伝統的なヴィーテ・アド・アルベレッロは、何世紀にもわたり、島民によって方言で伝えられてきた。

パンテッレリーア島のブドウ畑は支柱となる棒も果実を支える棚もなく、風変わりなブドウの木で埋めつくされている。ブドウの木は地面すれすれの低い木のまま栽培され、それぞれが深さ20センチの穴に植えられている。これは古代から続く栽培技法で、この技法では苗木の葉による影で太陽の光から根を守り、ブドウの房を地面から照り返す熱で、均等に成熟させることができる。この工夫を凝らした巧妙な手順であれば、土の中にある少しの水を最大限に活用し、ブドウを不利な気候から保護することができると同時に、木が横に伸びていくため、島に吹く強い風の中でも枯れずに生き残ることができる。

困難な栽培はすべて手作業で行われ、絶え間なく注がれる注意と忍耐、肉体労働と努力を要する。こうしたブドウへの愛と、並みはずれた努力と苦労を重ねた栽培方法が認められ、世界遺産に登録された。

島の宝「ズィビッボ」

これらのユニークなブドウ畑で採れたブドウは、有名なイタリアワイン「ズィビッボ」を醸造するための原料となる。

ズィビッボという名前はアラブ語でドライフルーツを意味するサビブ、またはチュニジアのカーポ・ゼビブ岬に由来するといわれているが、ブドウのルーツは、このブドウのイタリア語名モスカート・ディ・アレッサンドリア[※1]にある。このブドウはローマ人がシチリアに持ち込んだといわれ、実はエジプトから来ているのだ。

ブドウ園では1ヘクタールに2000~2500本の木が植えられている。それぞれの木からは4、5房しか収穫できず、収穫したブドウは約10日間並べて乾燥させる。陰干ししたブドウで作るワイン「パッシート」は全体的に深い香り、アプリコットのような風味、ハチミツのように甘いデザートワインである。シチリア島の伝統的な菓子と相性が良い。

※1 アレクサンドリア。地中海に面したエジプトの都市。

接着剤を使わずに建てた壁とテラスは島のシンボル

栽培はすべて手作業で行われている

ブドウの乾燥から瓶詰めまですべてパンテッレリーア島で行う

モスカートとパッシート

Patrimonio mondiale
64

シラクサとパンターリカの岸壁墓地遺跡

2005年登録／文化遺産 ii iii iv vi

パンターリカの岸壁遺跡はシチリア島最大のネクロポリス

強大なシラクーザとパピルスの魔法

シチリア島南東部にあるパンターリカの岸壁の墓地遺跡には岩に刻まれた5千人以上の墓があり、その大半が、紀元前12世紀から紀元前7世紀のものと考えられている。

シラクサは紀元前8世紀、コリント人[※1]によってつくられ、ギリシャ都市の中でもっとも偉大で美しい都市であるとキケロ[※2]に称賛された。そこにはアテネ神殿や、直径140メートルもあるギリシャ世界でもっとも大きなギリシャ劇場、古代ローマの円形劇場、要塞などの遺跡が残る。もっともミステリアスなのは、牢獄か住居のような採石場の中にある「ディオニュシオスの耳」で、この耳の形をした人工洞窟は並みはずれた音響効果をもち、ここに敵の囚人を閉じ込め、外から囚人たちの会話を盗み聞きしていたといわれている。

いろいろな民族の芸術や文化がうまく調和して形成された建物の様式が今日のシラクサには残されており、もともとギリシャ様式の神殿だったのがキリスト教布教の影響を受けて改修された大聖堂はそのもっとも良い例だ。元来ナイル川流域の植物パピルスが、シラクサに自生しているのも不思議だ。

何世紀にもわたり、地中海文化のユニークな証言を残し、構成されていることが認められ、世界遺産に登録された。

※1 ギリシャにある古代都市コリントスに住む人々。古代ローマ時代に繁栄し、パウロ書簡の宛先としても有名。
※2 キケロ（紀元前6ー紀元前43）…古代ローマの政治家、思想家。雄弁家として有名だった。

シラクサはヨーロッパで唯一、パピルスが生息する町

紀元前5世紀初期のアテナ神殿を改装して建造されたシラクサ大聖堂

パンターリカの岸壁遺跡

まず、フェルラの町へ行こう。ここではパンターリカの岸壁墓地遺跡への道を示す標識が目につく。

長い山の尾根に沿って、世界でもっとも古く、もっとも示唆に富む墓地の1つであるヴァッレ・デッラナポの広大な採石場が見える約10キロの道を辿って歩こう。

凝灰岩の岩に掘られた5千を超える小さな洞窟、その壮大なパノラマに圧倒されてしまう。しかし、これらの墓は依然として多くの謎に満ちている。

これはシチリアの都市パンターリカの住民の墓であり、ネクロポリスで発見された美しい陶器の花瓶やその他の遺物が示すように、キリストの誕生より千年以上前にすでに繁栄、文明化しており、さらにギリシャ人の入植前にそこで暮らしていた人々の存在をも明らかにしている。

その後、パンターリカは姿を消し、中世の初めに周囲の領土に住む住民が、他民族や海賊、アラブ人による絶え間ない侵略から身を守るためにこの地域に避難してきて、新しく住み始めたという。

しかし、今日のパンターリカには岩に刻まれた膨大な墓以外、ほとんど何もない。

もっとも美しいギリシャの町を歩く

狩猟の女神アルテミスに捧げられたオルティジャ島。ウンベルティーノ橋で本土と繋がった約1平方キロメートルの島には古代文明の足跡があちこちにあり、路地や狭い通りにバロック様式の教会や宮殿、アポロ神殿、アルテミスの噴水、ベッローモ宮殿、マニアーチェ城などが残っている。

偉大なる数学者アルキメデスは、このシラクサ出身だ。シラクサの町は長い間、ギリシャ植民地として繁栄し続けたが、アテネとカルタゴで地中海支配を争うようになった。紀元前２１２年、アルキメデスがローマ帝国による侵攻からシラクサを守るため、様々な武器を発明し、激しく対抗したものの、町はローマ帝国に占領されてしまった。

狭い路地を歩いていると、民家のベランダに松ぼっくりの置物が２つ置かれている。それを眺めていると、ベランダにいた住人が「これは、幸運を運んでくれる置物で、こうやってベランダや玄関先に置くとウェルカムという意味もあるんだ」と教えてくれた。町のあちこちで松ぼっくりを見かけるのは、シラクサの住民が私たち観光客を歓迎してくれているのかもしれない。きっと、そう思ったほうが、旅はもっと楽しくなるはずだ。

アルテミスの噴水

アポロ神殿

狩猟の女神アルテミスに捧げられたオルティジャ島へと繋がるヌオーヴォ橋

Patrimonio mondiale
65

エオリア諸島

2000年登録／自然遺産 viii

エオリア諸島はギリシャ神話における風の神アイオロスの住む島々

地中海に浮かぶ7つの島

エオリア諸島は海底火山活動によって生まれた群島で、今も活火山のあるストロンボリ島とヴルカーノ島、もっとも大きく、もっとも人口の多いリーパリ島、もっとも小さく、若い人に人気のあるパナレーア島、土地が肥沃でケイパーやマルヴァジーアの白ワインが有名なサリーナ島、現在も手付かずのアリクーディ島とフィリクディ島の、7つの島で構成されている。

ヴルカーノ島は特に温泉が豊富で、自然の泥地があり、リウマチや皮膚病に良いとされている。ほかにも温泉が海底から湧き出る海水温泉や黒い火山灰が砂浜となった黒砂のビーチも面白い。

18世紀以降の研究から、噴火のタイプにはヴルカーノ式噴火とストロンボリ式噴火があることがわかっている。これは6つある噴火活動の種類のうちの2つで、名前はそれぞれ島にある火山からとられている。エオリア諸島は火山研究の重要な拠点であり、地球の進化が島々の中から考察できるなど地質学の分野においても非常に貴重であることから、世界遺産に登録された。

エトナ山

2013年登録／自然遺産 ⅷ

最初の噴火は50万年前にまで遡るといわれている

火山の中の火山

標高3326メートル（2018年時点）のエトナ山はヨーロッパ最大の火山であり、イタリアで2番目に大きなヴェズービオ火山の約3倍の大きさ。さらに、今でも噴火を繰り返す立派な活火山だ。

噴火と聞くと恐ろしいが、エトナ火山の場合、噴火は爆発的でないことが多い。溶岩や噴石などの飛散物が遠くまで飛ばないため、危険ではないと考えられており、噴火をするとむしろ観光客が増えるという。

大きなエトナ山の頂上はほとんどいつも雪で覆われており、雲に囲まれている。もくもくと高いところまで煙が立ち上がっており、火口の中では溶岩がぽこぽこと沸き立っている。

エトナ山は伝説や物語にたびたび登場する。古代、シチリア島の住人は、エトナ火山の中に火の神が住んでいる、また火を作り出す工場のようなものがあると信じていた。ほかにも100の口から火や煙を吐き出す巨人テューポーンが鎖でつながれているのだと信じる者さえいた。

エトナ山の上には……

今、モンティ・ロッシ[※1]の麓にいる。山頂にある火口の周囲の長さは約3キロ。道は溶岩流の間をぬって、森の中を曲がりくねり、小さな家々や栗の木があるマンフレー山の近くまで延びる。標高1882メートルにあるレストラン「カントニエーラ・デッレトナ」の前に到着。ここでは、山の斜面が目の前に無限に広がり、視線を落とすと海が見える。広場の上にはロープウェイ乗り場のあるサピエンツァ避難所がある。ロープウェイで火山の噴火口に到達する。

噴出口と小さな火口の間をさらに進むと、標高3296メートルにある中央噴火口の端に着く。ここでは、どの方向に歩いていけばいいのか分からなくなる。火口の方へ向かうと、絶壁の下で渦のように煙が立ち込めているのが見える。反対側に進んで周りを見渡せば、言葉では言い尽くせないほど広大なシチリア島全体の眺め、島を囲む海が目に入り、幻想的でさえある。山や川、町、海、島々がくっきりと見え、まるで立体地図を眺めているようだ。

※1 エトナ山の斜面にある2つの火砕円錐。小規模な噴火が繰り返されることで噴出物で構築された円錐状の山。

エトナ公園は年中いつでも訪れることができる

火山の上では穴の中の溶岩、岩の裂け目から立ち昇る煙を目にする

Ferrovia Circumetnea
(私鉄チルクメトネア鉄道。別名、エトナ山周遊鉄道)
フェッロヴィア・チルクメトネア

1898年に開通したチルクメトネア鉄道は、カターニアからエトナ火山の周りを一周する。窓から見える壮大なエトナ山も見ものだが、ピスタチオで有名なブロンテの町を通るので、ピスタチオの木々や小さな町、古風な駅など、ほかにも見所がいっぱい。
終点リポスト駅(Riposto) まで約3時間
[HP] www.circumetnea.it/
[料] 片道7ユーロ90セント(往復の場合は13ユーロ)
[切符販売所] 駅または町にあるバール、キオスク、タバッキなど。事前にサイトでチェックしておく方が安心

シチリアの人形劇

アルジェント・シアターの舞台

木製のあやつり人形、プーピ

プーピとよばれ親しまれているあやつり人形。ラテン語「ププス」から由来し、その起源は定かでない。人形劇がイタリアに根付いたのは1600年代で、ドン・キホーテの人形劇がローマやナポリで大人気だった。それが1800年代半ば、シチリアでも人気を博し、現在に至る。

私は、パレルモ市内の店でプーピを作る作業を見せてもらった。あやつり人形は木でできていて、1体を制作、完成させるのに約1か月かかるそうだ。人形師で店主のヴィンチェンツォ氏は、プーピはとても頑丈だと断言する。人形をバンッと壁に強く投げつけて、

「ほらね？　絶対に壊れないのさ！」

と笑っていた。

プーピは、職人が手作りした衣装と甲冑を身に着けている。人形の手には、人形をコントロールする棒がついていて、人形師はこれでさやから刀を引き抜いたり、元に戻したりなどという巧妙な動きを作り出している。

人差し指で人形の頭や首を動かし、親指と中指で人形の体をコントロールする。彼が劇で使用する人形は平均10キ

ロだが、カターニアだと約15～20キロもあるのだとか。

あやつり人形の魅力的なストーリー

　この日の夜、ヴィンチェンツォ氏の人形劇を鑑賞することにした。鑑賞したのは「狂えるオルランド」で、彼は「500ページ以上ある長い本だって、俺の人形劇なら45分で終わりさ」と笑った。事実、実際のストーリーの醍醐味を切り取って上手に作られている。この日も主人公オルランドが、絶世の美女アンジェリカに恋するものの、彼女は立ち去ってしまう。キリスト教徒軍とイスラム教国の闘いが勃発しても、オルランドは彼女を世界中探し続ける。ところが、アンジェリカはアラブ人と恋に落ちていたことから、オルランドは発狂してしまう、という内容だった。

　ストーリーは戦いの中で人を思いやる気持ちや、勇気、正義がテーマになっており、中世の騎士が戦いを繰り広げるのがお決まりのパターンだ。

　あやつり人形といっても、子供騙しではない。決闘シーンでは、首を切られたサラセン人の頭が床に落ちたり、腕が飛んでいったりと、かなりの迫力だ。

工房では実際にあやつり人形の制作を見せてくれる

あやつり人形は、舞台が始まると迫力満点

アドリブ？

「さあ、かかってこい！　この怖がりめ！」

この後、決闘が起きることは間違いない。いつも、こんな感じで劇が始まり、勇ましい主人公が何世紀も、観客の心をとらえてきた。この見事な世界観と、今なお人形劇が魅力的なのは、人形の命をあずかる人形師のおかげである。

ストーリーの主人公は、みんな雄々しい。基本的なストーリーは変わらないが、何世紀も同じ劇を繰り返し上演しているので、すでに知っているプロットにアドリブが入り、ストーリーはより豊かになっている。オプランテとよばれる脚本家は、細やかにセリフを割り振っているが、基本、セリフは人形師である親や師匠のもとで経験を積みながら、口承で伝えられ、親や師匠が引退後、引き継いで人形師として活動する。

あやつり人形の動かし方を説明するヴィンチェンツォ氏

パレルモとカターニアにある学校

シチリアには、あやつり人形を扱う一家がまだ存在している。例えば、ソルティーノ市のプッリェージ家、シラクーザ市のヴァッカーロ・マウチェーリ家だ。特に有名なパレルモ市のクティッキオ家は、ストーリーテラーのプロと呼ばれ、ミンモ・クティッキオ氏は伝統を重んじつつ、新たな要素を含んだ教育を精力的に行っている。あやつり人形の中には、高さ1メートル30センチ、重さ30キロのものもあるそうだ。

Teatro Argento fondato nel 1893
（アルジェント・シアター　since 1893）

テアトロ・アルジェント・フォンダート・ネル・1893
[住] Via Pietro Novelli, 1/A, 90134, Palermo
[電] 091. 6113680
※6人以上の場合は要予約

マラテスティアーナ図書館

2005年登録／記憶遺産

中央は、ガリレオ・ガリレイの手紙を印刷した世界最小の本（15×9mm）

図書館はもう１つあり、そこは2人のローマ教皇の書斎だった

Biblioteca Malatestiana
（マラテスティアーナ図書館）
ビブリオテカ・マラテスティアーナ

［住］Piazza Bufalini 1, 47521, Cesena(FC)
［電］0547. 610892
［HP］www.comune.cesena.fc.it/malatestiana/
［料］5ユーロ（12歳以下、または65歳以上は4ユーロ）
［営］季節により変更。サイトを確認

ヨーロッパで最初の市民図書館

イタリアで唯一建物、家具、本が完全な状態で保存されているルネサンス様式の図書館。15世紀半ば、フランシスコ会の修道院の中に建てられた。チェゼーナ領主ドメニコ・マラテスタの依頼により、建築家マッテオ・ヌーティが建築した図書館は5年の月日を経た１４５２年に完成した。

内部は聖堂のようで３つの身廊があり、２列に並んだ柱によって左右に分けられている。右側に並ぶ29台の机は医学や薬学など、そして左側の机は文学や宗教などの勉強に充てられており、机の中にはそれぞれの分野の本が鎖に繋がれて収められている。本が鎖で繋がれているのは盗難予防のためではなく、本が他のものとごちゃ混ぜになるのを防ぐためである。図書館内には、３４３冊のコデックス（写本）と48冊のインキュナブラ（中世に作成された印刷物）が保存されている。

気分を落ち着かせる効果があることから、天井は緑色で塗られており、現在もオリジナルの色のままで残っている。図書館は昼間のみ勉強に使用されていて、44ある窓から差し込む光を利用していたという。

Patrimonio mondiale
69

バルバネーラ暦のコレクション

2015年登録／記憶遺産

中は種まき時期などの情報が満載　太陽と月が描かれた真っ赤な表紙がシンボル

バルバネーラ暦はイタリア中央に位置するウンブリア州のフォリーニョとよばれる町で生まれ、18世紀半ばから現在まで継続的に毎年、出版されているもっとも有名で人気のあるイタリアのカレンダーである。1762年の初版から1962年までに発行されたバルバネーラ暦の記録と内容が評価され、記憶遺産に登録された。

初版から壁かけカレンダーとポケット暦の形で並行して流通しており、そこには暦だけでなく天気予報や月の満ち欠け、レシピ、ことわざ、毎日の生活に役立つアドバイス、農業や家庭で役立つヒントまで書かれている。それは、まさにイタリアにおける大衆文化の存在を示すと同時に、驚くほど多くの部数が拡散したおかげで、知識や情報の普及や文化の育成に貢献してきた。

流通ネットワークと内容の独創性のおかげで、19世紀にはすでに非常に人気があり、屋台や市場で配布される一方で、イタリア全土で海賊版も作られた。

タイトルの「バルバネーラ（黒いひげ）」は、もっとも古い版の表紙に描かれていた、黒いひげをもつ天文学者、占星術師、哲学者と定義づけられた人物に由来している。

Patrimonio mondiale 70

コルヴィナ文庫コレクション

2005年登録／記憶遺産

ハンガリー王マーチャーシュ1世が1460～1490年の間に収集した書物のコレクションで、彼の別名マティアス・コルヴィヌスから、コルヴィナ文庫コレクションと呼ばれる。マーチャーシュ王が亡くなったときには3000冊の写本があり、ギリシャ語やラテン語の著作4000～5000もの作品が書き写されていた。また、蔵書には哲学、神学、歴史、法律、文学、科学、医学、建築などのテキストも含まれており、図書館はルネサンス文化の重要な中心地となった。

コルヴィナ文庫はヴァチカン図書館に次ぐヨーロッパで2番目の規模であり、1489年、ロレンツォ・メディチがコルヴィナ文庫を見本に、彼自身の図書館を設計、設立している。

1526年、トルコの侵略後、オスマン帝国皇帝スレイマン1世により、蔵書のほとんどが破壊、または盗まれ、そしてコスタンティノープルに持ち込まれた。現在残っている216の写本はヨーロッパおよび米国などの図書館に散らばっている。

Patrimonio mondiale 71

アントーニョ・カルロス・ゴメス

2017年登録／記憶遺産

アントーニョ・カルロス・ゴメスは、19世紀最大のブラジル人音楽家で、ヨーロッパで受け入れられた最初の作曲家であり、ヴェルディらが活躍する「オペラの黄金期」に、イタリアの作曲家として唯一成功した非ヨーロッパ人である。

1864年、ミラノ音楽院に留学、通常4年のところを3年で卒業し1866年にはマエストロの称号が与えられた。その後、ブラジルの先住民に関心を持っていたゴメスは小説「グワラニー族」をテーマに選んでオペラ作曲に精力的に打ち込み、1870年、ミラノのスカラ座で初演した。この作品は厳しい評論家もロッシーニやヴェルディといった偉大な作曲家と比較したほどで、イタリア王ヴィットリオ・エマヌエーレ2世はカルロスに勲章を与えている。また、ブラジルに帰国した際にも、リオデジャネイロで初演され、母国でもイタリアと同様に大成功を収めた。

ブラジルのバラ州知事から音楽院を指揮するよう打診されたカルロスはイタリアを去るものの、すでに年老いて病気を患っており、到着してすぐに亡くなった。

Patrimonio mondiale

72

イスティトゥート・ルーチェのニュース映画と写真

2013年登録／記憶遺産

イスティトゥート・ルーチェは制作会社で、ファシスト政権のプロパガンダツールとして使用することを目的に、ムッソリーニの主導で1924年、ローマに設立された。

数百万メートルというフィルムの中には、独自で制作したニュースや映画、ドキュメンタリーによりほぼ丸1世紀の歴史が残されている。

90年以上の歴史をもつこの制作会社には、1900年代、2000年代の300万枚以上の写真が残っており、そこにはイタリアの過去、歴史、政治、文化、芸術、習慣、イタリアの現実と夢が映し出されている。

近年では、7万本以上のフィルムと40万枚以上の写真を、誰でも無料で見ることができるようになっている。

1世紀以上にわたる膨大な情報の詰まったコレクションはデジタル化され、さらに誰もが見られるように保護が強化された。人と文化の記憶を保存しているものであり、計り知れないほど貴重な財産である。

Patrimonio mondiale

73

ベルナルディーノ・デ・サアグン師の作品

2015年登録／記憶遺産

ベルナルディーノ・デ・サアグンはスペイン人修道士で、メキシコで60年以上にわたってキリスト教の布教活動を行った人物である。

サアグン師は、1529年メキシコに到着し、キリスト教布教活動に役立つだろうとナワトル語を学習、そして現地の風習や宗教について研究した。これらの研究結果をナワトル語、スペイン語、ラテン語などで書物にまとめた人類学の先駆者であり、アメリカ人類学の父とよばれる。

1568年までに全12巻に及ぶ『ヌエバ・エスパーニャ概史』を完成させ、1、2、3巻はアステカの神、4、5、7巻は占星術、8、9、10巻にはアステカの社会や日常生活、11巻にはメキシコの動物や植物について説明している。

彼が残した初期の原稿、マドリード絵文書とフィレンツェ絵文書の2つは、ナワトル語とスペイン語で古代メキシコ文化の歴史、文学、宇宙論、芸術、医学などの内容にもふれており、これらの絵文書のおかげで、サアグン師の他の書物も世に広まった。

Patrimonio mondiale

74

ロッサーノ福音書

2015年登録／記憶遺産

イタリア南部カラブリア州に位置し、イオニア海を見晴らす小さな町ロッサーノ。そこにあるロッサーノ大聖堂には6世紀に制作された福音書の一部が残っている。それはロッサーノ福音書とよばれ、紫色の羊皮紙188枚にマタイとマルコの福音書がおさめられている。

いわゆる新約聖書の原稿のサイズは200×307ミリ。ダークレザーの表紙は17世紀または18世紀頃のものであり、作者の名前は分かっていない。

おそらく、もともとは400枚あったとされ、そのうち現存する188枚にはマタイの福音書すべてとマルコの福音書の一部が収められている。残りの約半分は、おそらくルカとヨハネの福音書であり、17世紀または18世紀の火災で破壊されたと思われる。その痕跡は最後の10枚に見られる。

丸みのある大文字が印象的なアンシアル書体を用いてギリシャ語で書かれた文字と、キリストの生涯や説教を示すイラストが金、銀、白、ピンクなど様々な色を用いて描かれており、キリストの福音的なメッセージを視覚的に表している。

Patrimonio mondiale

75

中世前期におけるルッカの歴史的司教記録

2011年登録／記憶遺産

ルッカにある大司教館には教会、聖職者に関する国際レベルでも重要なコレクションがあり、イタリアのみならずヨーロッパにおける中世初期の出来事が記されている。

司教記録は大司教、外交、聖マルティーノ教会、聖ミケーレ教会、マルティーニ・コレクションの5つで構成されている。685年から綴られてきた1万3千枚の羊皮紙の中の1800枚は、西暦1000年にはすでに存在していたものであり、すべてオリジナルである。

1740年から現在までの出生、結婚、死に関する記録、また大司教が所有する不動産に関して綴られているほか、ルッカの町で行われてきた民事および刑事の教会裁判記録といった秘密文書、さらに皇帝や王室、教皇の文書もある。

文書はルッカの町の歴史だけでなくヨーロッパ全体の歴史を示すものであり、全世界の学者の中で「過去の宝箱」と評されている。しかし、文書は良好な状態で残ってはいるものの非常に古く、また内容が多岐にわたっているため、いまだに完全に解明されていない。

イタリアの旅をもっと楽しく快適に！

旅の便利帖

文化や言葉の違う国では戸惑うことばかり。慣れるには少し時間がかかりますが、
満足のいく旅行のためにも、ぜひ、旅に出る前にチェックしておこう。

イタリア基本情報

正式国名 ― イタリア共和国（Repubblica Italiana）

首都 ― ローマ（Roma）

面積 ― 302.780平方キロメートル

人口 ― 60.359.546人（統計2018年）

公用語 ― イタリア語（地域によりフランス語、ドイツ語）

宗教 ― 約80%がカトリック

時差 ― 8時間（サマータイム時は7時間。3月最終日曜～10月最終日曜日）

通貨 ― ユーロ（100セント＝1ユーロ、1ユーロ＝●円（●年●月時点）

パスポート ― 3か月以上の残存期間が必要

ビザ ― 観光、商用を目的とした90日以内の短期滞在の場合は不要

休日・祝日について

《休日》

- 1月1日ー 元日（Capodanno）
- 1月6日 ー キリストの公現の日（Epifania）
- 移動祭日（3～5月の間）ー 復活祭（Pasqua）
- 移動祭日（3～5月の間）ー 復活祭翌日の月曜日（Lunedì dell' Angelo）
- 4月25日ー イタリア解放記念日（Festa della Liberazione）
- 5月1日ー メーデー（Festa dei lavoratori）
- 6月2日ー 共和国記念日（Festa della Repubblica）
- 8月15日ー 聖母被昇天の日（Ferragosto）
- 11月1日ー 諸聖人の日（Ognissanti）
- 12月8日ー 聖マリアの無原罪のお宿りの日（Immacolata Concezione）
- 12月25日ー クリスマス（Natale）
- 12月26日ー 聖ステファノの祝日（Santo Stefano）

※祝日（下記、守護聖人の祝日含む）は銀行や郵便局、商店などが閉まる。
美術館や博物館は場所によって閉館日が違うので、事前に確認すること。

《各都市の守護聖人の祝日》

- ミラノー 12月7日（聖アンブロージョ）
- ジェノヴァー 6月24日（聖ジョヴァンニ）
- トリノー 6月24日（聖ジョヴァンニ）
- ヴェネツィアー 4月25日（聖マルコ）
- ボローニャー 10月4日（聖ペトローニオ）
- フィレンツェー 6月24日（聖ジョヴァンニ）
- ローマー 6月29日（聖ピエトロと聖パオロ）
- ナポリー 9月19日（聖ジェンナーロ）
- パレルモー 7月15日（聖ロザリーア）

※上記のように、町によって祝日の日が変わる。

交通について

《イタリアへのフライト》
成田空港―ローマ・フィウミチーノ空港またはミラノ・マルペンサ空港（アリタリア航空、直行便、約12時間）
成田空港または関西国際空港―ローマ・フィウミチーノ空港またはミラノ・マルペンサ空港（KLMオランダ航空、エールフランス航空、フィンランド航空など、乗り継ぎ1回、約14時間（乗り継ぎ時間抜き））

《イタリア国内の移動》
旧国鉄のトレニタリアが運営する高速鉄道フレッチャロッサ、フレッジャアルジェント、フレッチャビアンコ、または民間のNTV社が運営する高速列車イタロが主要都市間を結んでいる。最近は、格安でイタリア国内だけでなく、ヨーロッパ内を移動できる長距離バスFlixBus（フリックス・バス）も人気。

《停車駅と所要時間》
- ミラノ―ローマ：3時間39分
- ミラノ―フィレンツェ：1時間54分
- ミラノ―ヴェネツィア：2時間15分
- ローマ―フィレンツェ：2時間10分
- ローマ―ヴェネツィア：3時間48分
- ローマ―ナポリ：1時間12分

天候

日本と同様に四季がある。全体的に雨が少ない地中海気候なので、夏場でも木陰や野外のテラス席に座っているとかなり涼しい。日本の気温とよく似ているが、ミラノやヴェネツィアをはじめとする北部の都市に行くと、冬場は東京よりも寒く、またローマやナポリをはじめとした南部の都市に行くと、雨量が少なく、空気が非常に乾燥しており、日差しも日本より強い。

チップ

レストランなどの飲食店に入ると、必ずcoperto（コペルト）とレシートに表示されているが、これはいわゆるテーブルチャージ料金。「快適にテーブルで食事をするため」の料金だが、一般的にはサービス料としてチップ同様のものとみなされているので、基本的にチップを支払う必要はない。グループで一緒に飲食した場合、コペルトの金額（3ユーロ前後）を人数分だけ支払うことになる。また、テーブルについて、料理を注文しなかったとしても、コペルトは支払わなくてはならない。ただし、高級レストランに関しては、コペルトとは別に、食事代とともに10ユーロ程度のチップを置くのが常識と考えられている。チップは義務ではないので、必ず支払わなくてはならないものではないが、満足したサービスを受けることができたと感じるなら、会計で1、2ユーロを渡したり、お釣りの小銭を渡すとよい。

マナー

食料品店、衣料品店といった商店に入る際には、挨拶をするのは不可欠のマナー。「Ciao!」「Buon giorno!」と軽く挨拶をしてから、店に入ろう。商品は勝手に手を付けず、「Posso prendere?（手にとってもみてもいいですか？）」「Si può provare?（試着してもいいですか？）」と声をかけてから。また、店員が見せてくれた商品や薦めてくれる商品に興味がない場合は、「Non mi interessa（あまり興味がありません）」とはっきりと意思を表示したほうがよい。また、商品を買っても買わなくても、店を出る時には「Grazie!（ありがとう！）」「Ciao!」と挨拶するのも忘れないように。

北から南まで　いろんなイタリアの郷土料理

「イタリアにイタリア料理はない。あるのは、地方料理」といわれるほど、イタリア料理は地方色が濃く、バラエティに富んでいる。イタリア中を旅しながら、その土地ならではの料理を食べ歩くのも楽しい。

北部

パスタよりも米を使ったリゾット、とうもろこし粉で作るポレンタがよく食べられている。料理はチーズやバターを用いることが多い。

Ossobuco e Risotto alla milanese

オッソブーコ　エ　リゾット　アッラ　ミラネーゼ

ブイヨンとバター、チーズなどで炊いた米にサフランで色付けしたミラノ風リゾット。横に添えられているオッソブーコは仔牛の骨付きすね肉をオイルとバターでソテーし、トマトソースで煮込んだもの。オッソブーコとは「穴のあいた骨」という意味。

Lasagna

ラザーニャ

卵入りの長方形のパスタとラグー（ミートソース）、ホワイトソース、パルメザンチーズを何層にも重ね塗り、オーブンで焼いたもの。

Prosciutto crudo di Parma e Gnocco fritto

プロシュット　クルード　ディ　パルマ　エ　ニョッコ　フリット

世界３大ハムの１つであるパルマ産の生ハムと、モデナが発祥のいわゆる揚げパン。

Tiramisù

ティラミスー

ヴェネト州のトレヴィーゾという町で生まれたスイーツで、ビスケット、マスカルポーネ、エスプレッソなどでつくる。

Cotoletta alla milanese

コトレッタ　アッラ　ミラネーゼ

仔牛のロースに卵とパン粉をつけ、バターで揚げ焼きしたもの。骨付きで出てくるのが伝統的。

Pizzoccheri alla valtellinese

ピッツォッケリ　アッラ　ヴァルテッリネーゼ

スイスとの国境付近ではそばを栽培。そば粉と小麦粉で作ったピッツォケリをじゃがいも、キャベツ、チーズなどで和えた料理が有名。

Tagliatelle al ragù

タリアテッレ　アル　ラグー

ボローニャ発祥のたまご麺のパスタ。ボローニャではラグーとよばれるミートソースをかけて食べる。

Tortellini in brodo

トルテッリーニ　イン　ブロード

チーズやハム、卵などを詰めたラビオリの一種。それをビーフコンソメに入れて食べる。

南部

料理はトマトソースをベースにしたものが多く、
新鮮な魚介類やオリーブオイルがよく使われる。

Pizza alla napoletana
ピッツァ　アッラ　ナポレターナ

ナポリのピザは強火で数分で一気に焼き上げる。生地の中央は薄いが、縁は柔らかくもっちりしているのが特徴。

Ravioli ai ricci di mare
ラヴィオーリ　アイ　リッチ　ディ　マーレ

ウニとパン粉、卵を詰めたラビオリで、写真のものはあさりのスープに入っている。

Spaghetti alle vongole
スパゲッティ　アッレ　ヴォンゴレ

ナポリの代表的な料理の1つ。新鮮なアサリと白ワイン、オリーブオイルだけをパスタと和えたシンプルな一品。

Fritto misto di pesce
フリット　ミスト　ディ　ペッシェ

魚介のミックスフライ。主にいか、えび、アンチョビを揚げたものが出てくる。

Babà
ババー

ナポリの代表的なスイーツで、スポンジケーキのような柔らかい生地をラム酒シロップに浸したもの。

中部

ボリュームのある肉料理が多く、
子羊の肉を使った料理が多いのも特徴。

Bistecca alla fiorentina
ビステッカ　アッラ　フィオレンティーナ

Tの形をした骨の片方にサーロイン、もう片方にヒレと、1枚で2か所のおいしい部位が味わえる贅沢なステーキ。

Abbacchio
アッバッキオ

子羊の肉をローストしたもの。羊肉特有の臭みはなく、とても柔らかい。

Saltimbocca alla romana
サルティンボッカ　アッラ　ロマーナ

仔牛肉に、生ハムとセージの葉を巻いて、白ワインとバターでソテーしたもの。サルティンボッカとは「口に跳び込む」という意味。

Spaghetti alla carbonara
スパゲッティ　アッラ　カルボナーラ

グアンチャーレ(豚頬肉の塩漬け)とペコリーノ(羊乳のチーズ)、黒コショウ、卵で作ったソースをパスタに絡めたもの。

Bucatini all'amatriciana
ブカティーニ　アッラマトリチャーナ

ラツィオ州のアマトリチェという町で生まれたソースで、ラードとグアンチャーレ、白ワイン、ペコリーノをトマトソースで煮込んだもの。

こんなにある!? イタリアのコーヒーを楽しもう

コーヒー好きなイタリア人の生活に欠かせないバール。コーヒーにはたくさんの種類があるものの、メニューを置いていないバールが多いので、旅の前にどんなコーヒーがあるのか知っておこう！

Latte macchiato
ラッテ　マッキアート

泡立てたホットミルクにエスプレッソを注いだもの。

Caffè
カフェ

イタリアでカフェといえばエスプレッソ。コーヒー豆をフィルターに入れ、その下に水を入れて火にかける。水が沸騰し、加圧することで抽出されたコーヒー。

Caffè shakerato
カフェ　シェケラート

エスプレッソに氷、砂糖やリキュールを入れ、シェイカーでよく混ぜたクリーミーなアイスコーヒー。

Caffè macchiato
カフェ　マッキアート

エスプレッソにミルクを入れたもの。"マッキアート・フレッド(冷)"は冷たいミルクを、"マッキアート・カルド(温)"は温かいミルクを入れる。

Cappuccino
カップッチーノ

エスプレッソに泡立てたミルクを注ぎ、上からカカオパウダーを振りかける。イタリアでは朝食の飲み物で、最近ではミルクの代わりに豆乳を入れるところもある。

Caffè latte
カフェ　ラッテ

エスプレッソに、コーヒーの3倍の量のミルクを注いだもの。

こんなコーヒーもあります！ ご当地コーヒー

あちこち旅して、地域色の強いイタリアのご当地コーヒーにトライするのも楽しい。バールで見かけたら、迷わず注文しよう。

Moretta fanese
モレッタ　ファネーゼ

ファーノ(マルケ州)のコーヒーで、アニス酒とラム酒、ブランデーを同量入れ、エスプレッソを注いだもの。

Turchetto
トゥルケット

アンコーナ(マルケ州)発祥のコーヒーで、エスプレッソにラム酒、砂糖、レモンの皮を入れて火にかけたもの。

Barbajada
バルバヤーダ

ミラノ発祥のコーヒーで、ホットチョコにエスプレッソを注いだもの。

Così tanti!? Godiamoci un buon caffè

Caffè decaffeinato カフェ　デカフェイナート
エスプレッソのカフェイン抜き

Caffè lungo カフェ　ルンゴ
薄めのエスプレッソ。コーヒー豆は通常のエスプレッソと同量だが、2倍の水で抽出する。

Caffè doppio カフェ　ドッピオ
濃い目のエスプレッソ。水は通常の分量だが、コーヒー豆は通常のエスプレッソの2倍。

Caffè ristretto カフェ　リストレット
非常に濃い目のエスプレッソ。コーヒー豆は通常のエスプレッソと同量だが、水の量が少ない。

Caffè corretto カフェ　コッレット
エスプレッソにリキュールを入れたもの。グラッパ(蒸留酒) やサンブーカ(混成酒) を入れる。

Caffè d'orzo カフェ　ドルツォ
大麦で作ったコーヒー。大麦コーヒーにはカフェインが含まれていない。

Caffè al ginseng カフェ　アル　ジンセン
専用のパウダーと水で抽出したコーヒー。スキムミルクや甘味料が入ったキャラメルのような風味。

Caffè americano カフェ　アメリカーノ
エスプレッソに湯を注いで薄めたもの。

Ice caffè アイス　カフェ
Caffè freddo カフェ　フレッド
エスプレッソをよく冷やし、氷を入れたもの。夏場やイタリア南部でみかける。

Marocchino
マロッキーノ
エスプレッソにチョコレートソースを加え、カカオパウダーを振ったところに温めたミルクを注いだもの。最後にカカオパウダーをふりかけるところが多い。

Caffè viennese
カフェ　ヴィエンネーゼ
ダークチョコレート1片を入れたエスプレッソの上に生クリームをのせたもの。

Crema al caffè
クレーマ　アル　カフェ
エスプレッソに砂糖、生クリームを入れてひたすら混ぜたクリーミーで甘いコーヒー。溶けたコーヒー味のアイスクリームのような感じ。

Caffè alla salentina
カフェ　アッラ　サレンティーナ
Caffè leccese
カフェ　レッチェーゼ
サレント並びにレッチェ発祥で、多めの氷とアーモンドミルクにエスプレッソを注ぐ。

Brasilena
ブラズィレーナ
カラブリア州名物の炭酸入りコーヒー飲料。コーヒー味の飴のような風味で、カラブリア州のバールやスーパーで売られている。

Granita al caffè
グラニータ　アル　カフェ
シチリア名物の飲み物で、砂糖を溶かした水にエスプレッソを加えて冷凍庫で凍らせ、フォークでつぶした冷たいコーヒー。

Brasiliano
ブラズィリアーノ
ナポリ発祥のコーヒーで泡立てたミルク、砂糖、リキュールにエスプレッソを注いだもの。

イタリア語で話してみよう

イタリア人はフレンドリーな人が多いです。多少、通じなくてもご愛嬌。
指を差したり、ジェスチャーなどでコミュニケーションを楽しもう。

交通

ローマ行きの電車はどれですか？
Quale treno va a Roma?
クアーレ　トレーノ　ヴァ　ア　ローマ？

ローマ行きの電車は何時に出発しますか？
A che ora parte il treno per Roma?
ア　ケ　オーラ　パルテ　イル　トレーノ　ペル　ローマ？

ローマまでの切符を（往復／片道）でください
Un biglietto per Roma, (andata e ritorno / solo andata), per favore.
ウン　ビリエット　ペル　ローマ　（アンダータ　エ　リトルノ／ソーロ　アンダータ）ペル　ファヴォーレ

この電車はポンペイに停まりますか？
Questo treno ferma a Pompei?
クエスト　トレーノ　フェルマ　ア　ポンペイ？

ヴェネツィアに行くには～
（このホームで合っていますか？）
（どこで乗り換えればいいですか？）
（どの駅で降りればいいですか？）
Per andare a Venezia
(va bene questo binario?)
(dove devo cambiare?)
(dove devo scendere?)
ペル　アンダーレ　ア　ヴェネーツィア
（ヴァ　ベーネ　クエスト　ビナーリオ？）
（ドーヴェ　デーヴォ　カンビアーレ？）
（ドーヴェ　デーヴォ　シェンデレ？）

コロッセオに行くには
どれぐらい時間がかかりますか？
Quanto tempo ci vuole per arrivare al Colosseo? クアント　テンポ　チ　ヴォーレ　ペル　アッリヴァーレ　アル　コロッセオ？

ミラノに行くにはいくらかかりますか？
Quanto costa per arrivare a Milano?
クアント　コスタ　ペル　アッリヴァーレ　ア　ミラーノ？

チェントラーレ駅まで行ってください
Mi porti alla Stazione Centrale, per favore. ミ　ポルティ　アッラ　スタツィオーネ　チェントラーレ　ペル　ファヴォーレ

ここで止まってください
Si fermi qui.
スィ　フェルミ　クイ

ここで降ります
Scendo qui, grazie.
シェンド　クイ　グラツィエ

基本のあいさつと会話

こんにちは／さようなら（フレンドリーな挨拶）
Ciao チャオ

おはよう／こんにちは（15時頃まで使う）
Buongiorno ブォンジョルノ

こんにちは／こんばんは（15時頃以降から使う）
Buonasera ブォナセーラ

おやすみなさい　**Buonanotte** ブォナノッテ

さようなら　**Arrivederci** アリヴェデルチ

ありがとう　**Grazie** グラツィエ

どういたしまして／どうぞ　**Prego** プレーゴ

すみません　**Scusi** スクーズィ

はい／いいえ　**Sì /No** スィ／ノー

お願いします　**Per favore** ペル　ファヴォーレ

分かりました　**Ho capito.** オ　カピート

はじめまして　**Piacere** ピアチェーレ

あなたの名前は？
Come ti chiami? コーメ　ティ　キアーミ？

私の名前は●●です
Mi chiamo ●●. ミ　キアーモ・●●
※●●の部分には名前が入ります

私は日本人です
Sono giapponese. ソーノ　ジャッポネーゼ

《基数詞》

0	Zero ゼロ	8	Otto オット
1	uno ウノ	9	Nove ノーヴェ
2	Due ドゥエ	10	Dieci ディエチ
3	Tre トレ	20	Venti ヴェンティ
4	Quattro クアットロ	30	Trenta トレンタ
5	Cinque チンクエ	100	Cento チェント
6	Sei セイ	1.000	Mille ミッレ
7	Sette セッテ	10.000	Diecimila ディエチ

《序数詞》

1	Primo プリーモ	6	Sesto セスト
2	Secondo セコンド	7	Settimo セッティモ
3	Terzo テルツォ	8	Ottavo オッターヴォ
4	Quarto クアルト	9	Nono ノーノ
5	Quinto クイント	10	Decimo デチモ

食事

3月10日8時に2名、
夕食の予約をしたいのですが
Vorrei prenotare la cena per 2, alle otto il 10 marzo, per favore?
ヴォレイ　プレノターレ　ラ　チェーナ　ペル　ドゥエ
アッレ　オット　イル　ディエチ　マルツォ　ペル　ファヴォーレ？

おすすめは何ですか？
Che cosa mi consiglia?
ケ　コーザ　ミ　コンスィッリャ？

あれと同じものをください
Vorrei come quello.
ヴォレイ　コーメ　クエッロ

注文したものと違います
Non ho ordinato questo.
ノノ　オルディナート　クエスト

おいしいです！
È buonissimo!
エ　ブゥオニッスィモ！

お腹いっぱいです
Sono pieno(a).
ソーノ　ピエーノ（女性の場合はピエーナ）

トイレはどこですか？
Dov'è il bagno?
ドーヴェ　イル　バーニョ？
※男性用：uomo、女性用：donna

お会計お願いします
Il conto, per favore.
イル　コント　ペル　ファヴォーレ

ホテル

予約している●●です
Ho prenotato a nome ●●
オ　プレノタート　ア　ノーメ　●●
※●●の部分には名前が入ります

チェックインをお願いします
Check-in, per favore.
チェッキン　ペル　ファヴォーレ

（朝食／チェックアウト）は何時ですか？
A che ora è (la colazione / il check-out)?
ア　ケ　オーラ　エ（ラ　コラツィオーネ／イル　チェッカウトゥ）？

この近くにホテルはありますか？
C'è un albergo qui vicino?
チェ　ウン　アルベルゴ　クイ　ヴィチーノ？

（シングル／ツイン／ダブル）の
部屋はありますか？
Avete una camera (singola / a due letti separati / matrimoniale)?
アヴェーテ　ウナ　カーメラ　（スィンゴラ／ア　ドゥエ
レッティ　セパラーティ／マトリモニアーレ）？

1泊いくらですか？
Quanto costa una notte?
クアント　コスタ　ウナ　ノッテ？

123号室の鍵をください
Vorrei la chiave della 123, per favore.
ヴォレイ　ラ　キアーヴェ　デッラ　チェントヴェンティトレ　ペル　ファヴォーレ

タクシーを呼んでくれませんか？
Mi chiami un taxi, per favore.
ミ　キアーミ　ウン　タクスィ　ペル　ファヴォーレ

注意！

喫煙禁止
Vietato fumare　ヴィエタート・フマーレ
※飲食店内での喫煙は27.50～275ユーロまでの罰金が科せられます

フラッシュ撮影禁止
Vietato usare flash
ヴィエタート　ウザーレ　フラッシュ

芝生に入らないでください
Non calpestare l'erba
ノン　カルペスターレ　レルバ

触れないでください
Vietato toccare
ヴィエタート　トッカーレ

静かにしてください
Silenzio
スィレンツィオ

美術館・博物館

ウフィツィ美術館（チケット売り場）はどこですか？
Dove si trova la Galleria degli Uffizi (la biglietteria)?
ドーヴェ　スィ　トローヴァ　ラ　ガッレリア　デリ　ウッフィ
ツィ？（ラ　ビリエッテリーア）？

入場券（大人／子供）2枚を下さい
Due biglietti per (adulti / bambini), per favore.　ドゥエ　ビリエッティ　ペル　（アドゥル
ティ／バンビーニ）　ペル　ファヴォーレ

何時に閉まりますか？
A che ora chiude?
ア　ケ　オーラ　キウーデ？

最終入場は何時ですか？
A che ora è l'ultimo ingresso?
ア　ケ　オーラ　エ　ルルティモ　イングレッソ？

写真を撮ってもいいですか？
Posso fare una foto?
ポッソ　ファーレ　ウナ　フォト？

おわりに

イタリアを一周して、自宅へ戻る。あぁ、やっぱり楽しかった。ありきたりな言葉だけど、とても楽しかった。そもそも、1つの国の中で、こんなにたくさんの異国の地を楽しんだような満足感を得られる国って、どこにあるのだろう？

私の数少ない経験では、やはりイタリアしか思い当たらない。

豊かな緑の中に沈むようにして佇む有名なロマネスク様式の建物といえば、ピサの大聖堂。町の中心地によくみられる豪華なゴシック様式といえばミラノの大聖堂。古代ローマ建築にアーチや丸屋根を加えたルネサンス様式は、やはりフィレンツェのサンタ・マリア・デル・フィオーレ大聖堂が有名だろう。私は建築のプロではないが、素人目で見ても、はっきりと分かるほど形、色遣い、雰囲気などすべてが大きく異なっているのだ。そんなことを考えながら写真を眺めて、古代や中世へと思いを馳せていると、私の心は今も何千年と離れた時代を行き来して忙しい。

今回も面白い人たちと出会った。ドロミーティを「ヨーロッパの美しい村30選」に選ばれた村から見ようと、サンタ・マッダレーナ村を訪れたが、ソバの花のような白く小さな花が一面に咲きこぼれていて、その光景はまるで小さな天国の名がふさわしく、この世の美しさとは思えないほどだった。村では、すれ違いざまに村人が優しく微笑みながら、黙って会釈してくれる。一方で、シチリア島のパレルモへ到着する

と、すでに町は熱気でむせ返り、車が縦横無尽に走っている。モンレアーレ大聖堂に行こうとしているところへ、気の良いシチリア人のおじさんに声をかけられ、いつ終わるのか分からない説明を受けることとなった。

　そんな楽しい旅が嘘だったかのように、２０２０年、新型コロナウイルスが瞬く間に拡散し、イタリアはロックダウンを開始した。コロナ禍以前にイタリア全土を旅することができたのは幸いだった。私が訪れた小さな町にも、コロッセオの前にも人はいないが、世界遺産の建物の美しさは変わらない。何度もこのような惨事をくぐり抜けているからなのだろうか、堂々と佇むそれらの姿は圧巻でさえある。その力強さにむしろ元気づけられながら、今はただ一日も早い終息の日を心より祈るばかりだ。

　最後に、このイタリアにあるすべての世界遺産をめぐる旅と執筆の機会を与えてくれた書肆侃侃房代表の田島安江さん、私の遅筆と膨大な量の原稿に匙も投げず付き合ってくれた編集者の池田雪さんとＤＴＰの黒木留実さん、デザイナーのタダミヨコさん、本当にありがとうございました。毎日、古代ローマだ、ルネサンスだと騒ぐ私に付き合ってくれた家族と、資料や画像の提供を快諾してくれた皆さま、そして、この本を最後まで読んでくださった皆様、本当にありがとう。一日も早く、また美しいイタリアを旅できる日がやって来ますように。

２０２０年12月吉日　奥本美香

Profile

奥本美香（おくもと・みか）

京都府生まれ、ミラノ在住。滋賀大学経済学部卒業。
2003年、MIA展（国際家具見本市）への参加を機に渡伊。
現在、フリーライターとして翻訳の他、ガイドブックや旅行関係の会員誌で執筆。
著書に『イタリアぐるっと全20州おいしい旅』（産業編集センター）がある。
ブログ：「私のタビタリア」www.tabitalia.net

●参考文献
Collana "Alla Scoperta dell'Italia (Selezione dal Reader's Digest)
『日本大百科全書（ニッポニカ）』（小学館）／Wikipedia

●写真提供者
P.71 下 http://www.girofvg.com／P.116 Giuseppe Amedeo Rocco／P.127 https://visit.viterbo.it／P.140 Pizzeria Donn' Angelin／P.143 Avv. Canio Pierro／P.147 下 Parrochia Sant' Antonio／P.154 http://sardegnaturismo.it／P.155 真ん中 Maurizio Re／P.156 Alessio Cadau／P.163 下 © Archivio Audiovisivi Fondazione FS Italiane／P.166, 167 上 3 枚 Consorzio Pantelleria／P.173 下 Ferrovia Circumetnea
●協力者
Massimo Fontana／Mirko Fontana

写真／奥本美香
ブックデザイン／タダミヨコ
DTP／黒木留実（BEING）
編集／池田雪（書肆侃侃房）

※本書の情報は、2021年3月現在のものです。発行後に変更になる場合があります。

KanKanTrip 25

イタリア世界遺産の旅

2021年4月12日　第1版第1刷発行

著　者　奥本美香
発行者　田島安江
発行所　株式会社書肆侃侃房（しょしかんかんぼう）
〒810-0041 福岡市中央区大名2-8-18 天神パークビル501号
TEL 092-735-2802　FAX 092-735-2792
http://www.kankanbou.com　info@kankanbou.com

印刷・製本　アロー印刷株式会社

ISBN978-4-86385-454-3 C0026